LE
RAPPORT
POPCORN

Coordonnatrice de l'édition: Linda Nantel
Conception graphique de la couverture: Christiane Houle

DISTRIBUTEURS EXCLUSIFS:

- Pour le Canada et les États-Unis:
  LES MESSAGERIES ADP*
  955, rue Amherst, Montréal H2L 3K4
  Tél.: (514) 523-1182
  Télécopieur: (514) 939-0406
  * Filiale de Sogides ltée

- Pour la Belgique et le Luxembourg:
  PRESSES DE BELGIQUE S.A.
  Boulevard de l'Europe 117
  B-1301 Wavre
  Tél.:(10) 41-59-66
       (10) 41-78-50
  Télécopieur: (10) 41-20-24

- Pour la Suisse:
  TRANSAT S.A.
  Route des Jeunes, 4 Ter
  C.P. 125
  1211 Genève 26
  Tél.: (41-22) 342-77-40
  Télécopieur: (41-22) 343-46-46

- Pour la France et les autres pays:
  INTER FORUM
  Immeuble ORSUD, 3-5, avenue Galliéni, 94251 Gentilly Cédex
  Tél.: (1) 47.40.66.07
  Télécopieur: (1) 47.40.63.66
  Commandes: Tél.: (16) 38.32.71.00
                Télécopieur: (16) 38.32.71.28
                Télex: 780372

LE RAPPORT POPCORN

Faith Popcorn

Comment vivrons-nous l'an 2000?

*Traduit de l'américain
par Louise Rousselle*

LES ÉDITIONS DE L'HOMME

Données de catalogage avant publication (Canada)

Popcorn, Faith

    Le rapport Popcorn: comment vivrons-nous l'an 2000?

    Traduction de: The Popcorn Report.

    1. Prévision commerciale.   2. Consommateurs - Comportement-Prévision.   I. Titre.

HD30.27.P6614   1994   658.8'342   C94-940161-7

L'ouvrage original américain a été publié par Doubleday,
une division de Bantam Doubleday Dell Publishing Group, Inc.,
sous le titre *The Popcorn Report*
(ISBN: 0-385-40000-4)

Dépôt légal: 1er trimestre 1994
Bibliothèque nationale du Québec

ISBN 2-7619-1191-1

*Ce livre est dédié à Lysbeth A. Marigold,
ma conseillère avisée, ma collaboratrice,
et ma meilleure amie; elle a créé et écrit
sans se fatiguer, sans s'arrêter,
avec patience, et de façon parfaite.*

*À Ayse et Robert H. Kenmore,
qui sont toujours là pour moi et qui,
finalement, me l'ont fait faire.*

*À Rose, à Isaac, à Clara et à George,
qui ont façonné mon œuvre... et moi-même.
Merci.*

Première Partie

À PROPOS DU TEMPS

L'avenir ressemble beaucoup au présent, en plus marqué.

Prédiction: Socio-séisme!

Nous vivons en des temps bizarres.

Si vous le pensiez autrefois ou le pensez maintenant, vous ne le penserez pas demain.

À travers les siècles, il arrive parfois que des événements ou des découvertes exaltent le monde au point d'infiltrer et de transformer la vie quotidienne: la révolution industrielle, les guerres et les fléaux, l'invention de l'automobile, de la télévision ou encore de la puce électronique. Voilà des changements impossibles à prévoir.

Mais c'est un changement de nature différente qui se prépare actuellement. Il ne s'inspire pas d'un événement spécifique, mais plutôt d'idées radicalement nouvelles concernant notre passé, notre présent et notre avenir. Ces changements dépasseront de loin les agitations sociales observées récemment aux États-Unis. Il ne s'agira pas d'un mouvement périphérique — composé exclusivement d'étudiants contestataires ou de démunis en colère, quoiqu'ils y participeront bruyamment.

Le nouveau socio-séisme changera en fait le cours de l'Amérique.

L'Amérique est une société de consommation et si nous modifions nos achats — de même que notre façon de consommer — nous changerons ce que nous sommes.

Je ne crois pas à tous ces discours sur une réévaluation de fin de siècle. Je m'oppose à l'idée qu'une année particulière ou une certaine période de l'année nous incite à agir. Les choses arrivent lorsqu'elles arrivent. Si le millénaire est si important, ce n'est que parce que les gens le veulent ainsi.

Le millénaire ne changera rien. C'est à *nous* que revient la décision de changer.

•*Pour la première fois dans l'histoire de l'humanité, la «civilisation» est plus dangereuse que la jungle.*

Dans la jungle, il n'y a pas d'ampoules de crack, pas de meurtres dans le métro, pas d'amiante, pas de missiles.

Plus que jamais, nous nous retrancherons dans l'intimité de la forteresse — chaque foyer américain. À quoi sert la forteresse? À nous sentir en sécurité. Des systèmes sophistiqués de distribution approvisionneront les forteresses — la corvée des emplettes n'existera plus comme telle — et les emplettes devront se transformer en divertissement. La forteresse sera au cœur de la production (nous travaillerons à la maison), le lieu sûr par excellence (nous construirons des forteresses à l'abri des intrus), et le centre de la consommation. Pénétrer dans la forteresse de plus en plus impénétrable constituera le principal défi des commerçants et manufacturiers de cette décennie.

•*Pour la première fois dans l'histoire, la nature n'est plus notre alliée mais notre ennemie.*

Nous sommes la nouvelle espèce menacée. Notre alimentation est devenue affaire politique. Notre élan vers la bonne forme physique a fait place à l'*instinct de survie*.

Au cours de la dernière décennie, la préférence allait aux produits dits «naturels». La provenance des produits alimentaires naturels est désormais douteuse; qui sait ce que contient le sol d'où proviennent nos légumes «organiques» ou combien d'acres de forêt tropicale ont été détruits par notre consommation de viande hachée!

Nous voudrons bientôt des aliments provenant de laboratoires aseptisés selon des conditions rigides. Les producteurs de nourriture saine porteront un sarrau plutôt qu'une salopette de travail. Tous ces nouveaux produits contrôlés et aseptisés présenteront des références impeccables: des poulets avec une biographie (l'endroit d'élevage et la composition de leur alimentation); du poisson étiqueté provenant de centres de pisciculture (voisins immédiats des restaurants — le nouveau sens de «poisson frais»); des produits portant des étiquettes spécifiant les conditions d'élevage (la personne de même que l'évaluation de l'approvisionnement local d'eau).

Une nourriture *sérieuse*. Une nourriture de survie. Une nourriture thérapeutique. Nous découvrirons avec horreur qu'au lieu de «manger pour vivre», nous n'avions pas cessé de «manger pour mourir».

•*Si vous dites présentement non aux drogues, vous devrez bientôt dire oui à de nouveaux types de drogues — des drogues équilibrant le cerveau, les émotions, la mémoire.*

Des aliments combinés à ces drogues, les «alimaceutiques[1]», amélioreront les fonctions du corps et de l'esprit. Des aliments prescrits en doses, des aliments pour se maintenir alerte et plus jeune. Des traitements ancestraux aux herbes s'amalgameront à la médecine «moderne» pour atteindre de nouveaux sommets en matière de santé et de bien-être. Vous pourrez mesurer votre stress pour mieux le contrôler. Vous achèterez des herbes pour purifier votre corps. La thérapie par la lumière et l'aromathérapie procureront à la forteresse des qualités apaisantes et curatives.

• *Face à une échéance grave, l'Amérique du Nord, tout comme le reste de la planète, vivra une «adaptation par adrénaline»: un décuplement de force permettant aux gens d'accomplir des tâches surhumaines.*

— L'échéance est environnementale; la terre est exploitée au-delà de sa capacité de renouvellement.

— L'échéance est éducative; nous n'arrivons plus à instruire nos enfants. Vingt-trois pour cent de la population américaine est analphabète et ce pourcentage augmente sans cesse.

— L'échéance est sociopolitique; trop de représentants élus ne se préoccupent que de leur réélection. Quant aux valeurs morales, nous les avons bousillées. Nos héros d'hier font aujourd'hui la une des journaux à scandales ou remplissent nos prisons.

— L'échéance est économique; nous croulons sous la dette collective. La situation économique ne pourrait être pire. Vous souvenez-vous de l'époque où la menace d'une récession déclenchait une peur nationale? Eh bien, ce n'est plus le cas maintenant. Nous passons désormais d'une récession à l'autre, avec des rémissions toujours plus courtes.

La plupart des familles ont maintenant besoin de deux revenus pour atteindre à grand-peine un niveau de vie de classe moyenne — ce qui représente, par famille, une semaine de travail de quatre-vingts heures au minimum. S'il existe un fléau national, c'est bien la fatigue. Nous sommes trop fatigués pour regarder autant qu'avant les émissions télévisées divertissantes.

---

1. Néologisme créé par l'auteur sur le modèle de l'adjectif pharmaceutique.

Et que faisons-nous de nos loisirs toujours plus rares? Le tri des déchets. *Voilà* où nous a menés l'ère industrielle!

Nous sommes des êtres humains — et des consommateurs — battant en retraite. Je vois des gens déchirer les étiquettes d'identification avant de jeter leurs revues. Pourquoi? Dans un monde sombrant dans l'oubli, personne ne veut être identifié. Le recensement de 1990 fut catastrophique. Personne ne voulait être compté. Nous portons des vêtements gris et noirs. Personne ne veut être vu. Les gens effectuant des études de marché n'arrivent plus à trouver de consommateurs à interroger. Personne ne veut parler. Il y a aussi l'envers de la médaille, comme c'est habituellement le cas avec les êtres humains: voulant à tout prix nous cacher, nous voulons également nous affirmer à tout prix en tant qu'individus. Nous effectuons notre retraite dans des voitures aux plaques fantaisistes.

Nous ne nous rassemblons plus autour de la fontaine pour parler de notre boulot, de nos projets ou de notre avenir. Ce serait là penser à long terme et plus personne ne se sent en mesure de planifier un avenir très éloigné. Nous ne sommes plus attirés par l'avenir. Il faut se sentir maître de la situation pour s'ouvrir au long terme, et ce n'est pas notre cas.

L'«adaptation par adrénaline» se produira au fur et à mesure que les choses empireront. Le climat de lourdeur et de tristesse envahissant toutes choses (si je le sens, tout le monde le sent) fera place à l'acceptation. On réalisera tout d'abord que les choses vont *effectivement* aussi mal qu'elles en ont l'air. Puis viendra la colère contre les entreprises qui n'ont pas cessé depuis un siècle de «chercher les richesses naturelles et de les détruire» et contre les gouvernements conspirateurs. Puis finalement, après la colère viendra l'adrénaline qui nous donnera la force de bâtir l'avenir.

Le pessimisme ne s'endure qu'un certain temps.

Le soulagement, lorsqu'il viendra, nous conduira à cette nouvelle phase de socio-séisme. Vous verrez la psychologie du consommateur se tourner vers l'espoir. Vous sentirez le moral monter. Nous achèterons certes, mais de façon sérieuse et dans le nouvel esprit que la consommation est un geste politique se répercutant sur tous les maillons de la chaîne de vie. Après le soulagement, la conviction remplacera la prudence.

Ce bouleversement ou socio-séisme proviendra des consommateurs, et les gens d'affaires ne voudront donc pas rater le train. Les compagnies devront se rendre compte qu'on ne vend pas seulement ce que l'on fabrique. On vend ce que l'on est. Comme dans un jeu de chaise musicale économique, plusieurs entreprises se retrouveront sans chaise chaque fois que la musique s'arrêtera, les entreprises incapables de répondre aux exigences des consommateurs de demain.

Je le sais parce que notre travail consiste à étudier ce que ressentent aujourd'hui les consommateurs et ce qu'ils ressentiront demain. Nous prédisons le comportement des consommateurs pour le bénéfice de nos clients de Fortune 500 depuis 1974, au moment où je créais BrainReserve, une agence commerciale se spécialisant dans la création de nouveaux produits et services, et dans la relance de lignes de produits auprès du consommateur de demain. Ces prédictions ne se fondent pas sur des dons psychiques occultes mais sur une méthodologie solide, mise au point et raffinée au cours des ans. C'est une méthodologie à la portée de tous, applicable à n'importe quel genre de problème et à tout genre d'entreprise. On peut même s'en servir pour vérifier si notre vie privée va ou non à contre-courant.

Avec le temps, plusieurs de nos prédictions se sont avérées: l'importance du pantouflage ou *cocooning* (le syndrome du «rester chez soi»); l'approche de la décennie de la respectabilité (les années quatre-vingt-dix), bien avant que George Bush ne prophétise au sujet de la bonté et de la douceur; de même que le phénomène du départ monnayé de la part d'hommes et de femmes qui, à la recherche d'une meilleure qualité de vie, choisissent d'abandonner la concurrence acharnée au sein des entreprises commerciales. Les clients qui ont investi en fonction de nos prédictions touchant la demande d'aliments frais, la popularité de la livraison à domicile, la prédilection du consommateur pour les plats mexicains et les plats maison, l'augmentation du taux de natalité, le succès des véhicules à quatre roues motrices et l'échec du Coke nouvelle formule, ont matérialisé nos interprétations des tendances de la consommation en des lignes de produits importantes.

Et ce que nous prédisons pour l'avenir est une révolte du consommateur se répercutant sur toutes les caisses enregistreuses, sur les entreprises commerciales et sur tous les foyers d'Amérique.

L'avenir est une affaire sérieuse et si vos clients vous y devancent, ils vous laisseront derrière eux. Voici certaines des questions que nous posons à nos clients pour les aider à maintenir une bonne longueur d'avance sur leur clientèle.

•Une grande entreprise de services financiers. Quels changements faut-il apporter à la vocation d'une compagnie de cartes de crédit pour les années quatre-vingt-dix — lorsque les dépenses seront au point mort?

•Un hôtel casino. Comment s'y prendre pour promouvoir les plaisirs des jeux d'argent auprès des familles avec enfants?

•Un producteur de pain. Une entreprise peut-elle modifier la croyance solidement ancrée que le pain nourrit et fait grossir? (Une stratégie consisterait à convaincre les consommateurs que certains types de pain favorisent la longévité et une meilleure santé.)

•Un fabricant d'appareils photo. Quel est l'avenir du film dans un monde électronique susceptible d'abandonner la pellicule?

•Un producteur alimentaire. Comment combattez-vous l'idée de plus en plus répandue que les aliments usinés sont de véritables poisons? Nous avons suggéré à une entreprise d'indiquer la provenance des ingrédients. Nous lui avons en outre conseillé de créer un deuxième conseil d'administration composé de mères et d'enfants, pour guider l'entreprise en matière de décisions environnementales.

•Une chaîne de restaurants servant des hamburgers. Étant donné le dédain des gens pour la viande rouge, comment les empêcher de vous déserter?

Depuis plus de dix ans nous parlons à nos clients de l'imminence de ce socio-séisme. À l'heure actuelle, alors que les premiers signes de changement se manifestent, nous éprouvons un sentiment très étrange, assez semblable à l'impression de *déjà vu*[2]. Jamais je n'ai vu de changements aussi radicaux. La présente décennie sera celle d'un virage à 180 degrés, passant d'un mode de vie trépidant à un retour au foyer et à la sécurité. Nous adopterons une nouvelle morale, de nouvelles religions, de nouveaux aliments, une nouvelle science, une nouvelle médecine. Tout sera nouveau.

---

2. En français dans le texte. (N.D.T.)

Il y aura des urgences économiques au cours de cette décennie, mais les gens qui verront venir le séisme à temps y survivront. Ce livre veut vous aider à voir venir les prochains cataclysmes et à y survivre.

Retour en arrière:
Enseignements d'une vie

Mes parents étaient avocats: mon père, en droit criminel et ma mère, en droit en matière de négligence. Ils formaient l'association parfaite du cerveau droit/cerveau gauche, mon père étant intuitif et ma mère, logique — qualités qui, lorsqu'elles sont équilibrées, importent le plus en affaires.

Durant mes cinq premières années d'existence, nous vivions à Shangai, en Chine (mon père était alors dans les services secrets). Mes souvenirs les plus précis me montrent en promenade dans un pousse-pousse en compagnie de mon amah (nounou) et fouillant dans des éventaires d'aliments (à la grande horreur de ma mère). La vie étant alors très dangereuse (le risque d'être shangaillé[3]), on m'expédia au couvent Sacred Heart (à la grande horreur de ma grand-mère, juive orthodoxe).

Après avoir fui (à bord du dernier avion à sortir) ce pays devenu communiste et qui fermait ses frontières, nous retournâmes à notre appartement de la 11e Rue, entre la 1re et la 2e Avenue, au cœur de Manhattan. Au cours des années caractérisées par l'exode de la classe moyenne vers les banlieues, je représentais la quintessence de l'enfant urbain. Je me suis demandé par la suite si le fait d'être à l'extérieur du courant dominant en Amérique du Nord ne m'a pas plus tard aidée à mieux le cerner.

En grandissant, je passais plus de temps chez mes grands-parents maternels que chez moi. Ma grand-mère était née aux États-Unis alors que mon grand-père venait de Russie (prétendant avec véhémence s'être échappé à dos de cheval). Ils vivaient à quelques pâtés de chez nous et étaient propriétaires de quelques logements à louer. La devise de mon grand-père était:

---

3. Shangailler: embarquer de force comme membre d'équipage.

si tu ne peux pas le surveiller, ne l'achète pas. Je m'asseyais donc avec lui sur la 2ᵉ Avenue, sur des chaises pliantes en bois, pour l'aider à «surveiller» ses immeubles.

C'est là que j'ai commencé mon apprentissage du marketing[4].

Il possédait une mercerie et nous en décorions ensemble les vitrines. Nous ressortions ensuite nos chaises à l'extérieur et attendions. Quand peu de passants s'attardaient devant nos vitrines, nous ramassions nos chaises et retournions à l'intérieur en refaire la décoration. J'ai appris que le fait de modifier l'angle d'une cravate pour donner une allure plus désinvolte, ou de changer la couleur d'une chemise, changeait la teneur du message.

Pendant ce temps, ma grand-mère tenait le registre des comptes, dans leur appartement au-dessus du magasin. Chaque midi, telle une horloge, elle remplaçait mon grand-père au magasin et ils se croisaient dans l'escalier, échangeant rarement une parole — merveilleux langage codé des affaires. Après le repas, ils se croisaient à nouveau dans un quasi-silence pour retourner à leurs occupations respectives. Je pense souvent à eux quand je dirige mes ateliers Tendances et que je parle de la tendance au départ monnayé: leur entreprise était le type parfait d'entreprise familiale, honnête, à caractère humain, une entreprise si bien rodée qu'elle transcendait le langage.

Ma grand-mère avait en outre la tâche de percevoir les loyers mensuels. Je l'«aidais» aussi dans ce travail. Le premier du mois, les locataires passaient chez elle pour payer leur loyer — au montant de huit, douze ou vingt dollars par mois. Elle s'asseyait à la table d'acajou de la salle à manger et plaisantait avec eux en yiddish, en russe, quelquefois en allemand et en ukrainien.

L'entreprise était florissante. Elle était originale et axée sur la débrouillardise, englobait la famille et parfois un ami. S'y intégrait le soin des enfants que nous étions alors, ma sœur Mechele et moi. Les conversations au moment des repas familiaux étaient centrées sur les problèmes quotidiens et leurs solutions — le tra-

---

4. Marketing: Ensemble des techniques qui, à partir de la connaissance des besoins du consommateur et des structures du marché, ont pour objet la création de produits et de services, la définition de plans de mise en marché ainsi que la mise en œuvre des programmes d'action et des moyens nécessaires à la réalisation de ces plans (*Dictionnaire de la comptabilité et des disciplines connexes*, de Fernand Sylvain).

vail n'était pas une chose se terminant à 17 h. Nous parlions de l'entreprise immobilière, du magasin, des dossiers juridiques de mes parents. Chacun était au courant de tout et mettait la main à la pâte quand il le pouvait. L'objectif était en apparence simple: accomplir le travail et comprendre la marche à suivre.

Des années plus tard, lors de l'élaboration du projet de Brain-Reserve, j'ai instinctivement structuré l'entreprise en fonction des leçons apprises en famille. J'ai commencé par embaucher ma sœur et nos amis respectifs. Plusieurs de mes anciens collègues étaient scandalisés. Si tu veux devenir une conseillère en marketing, me disaient-ils, agis en conséquence. Affuble ton personnel de titres ronflants; mets sur pied une approche scientifique (claire et nette) pour ton travail; n'échange pas d'informations avec les gens de l'extérieur et fais-toi un devoir d'embaucher quelques diplômés de maîtrise en administration des affaires (MBA).

J'ai plutôt embauché ma meilleure amie Lys Marigold, une journaliste qui s'avéra géniale pour trouver les grandes idées, connaître un peu de tout et traduire le jargon du marketing en langage courant. Elle a travaillé dix ans avec nous, prétendant toujours n'y être qu'à titre «temporaire»; lorsqu'elle nous quitta pour l'Europe, ce fut pour nous tous un coup terrible. Mais les choses ont quand même bien tourné — nous n'avons qu'à lui télécopier nos questions à Amsterdam et à la traîner à nos bureaux chaque fois qu'elle revient au pays. Elle est venue chez moi pour travailler à ce livre.

Ma sœur, Mechele Flaum, est maintenant à la tête de Brain-Reserve — elle y dirige les opérations, s'occupe de la planification stratégique et surveille le pouls de la clientèle. Poursuivant la tradition familiale, elle continue en outre de surveiller les immeubles de nos grands-parents.

La vérité est que je n'ai jamais voulu d'une entreprise traditionnelle au sein de laquelle chaque employé est un automate à son poste. J'ai voulu créer une communauté de réflexion... car je crois que la liberté est le meilleur gage de productivité... et que la liberté engendre la créativité. Un environnement libre et flexible permet aux gens de travailler conjointement à préparer l'avenir.

Il faut prévoir l'avenir
pour s'occuper du présent

L'avenir est le produit d'un effort collectif. On ne peut décider seul de l'avenir, encore moins le créer. BrainReserve repose entièrement sur la croyance en la collaboration.

Il y a bien des années, alors que j'étais directrice de la création pour Smith-Greenland Advertising, j'ai eu une idée incroyablement simple: réunir les gens les plus brillants que je connaissais pour résoudre n'importe quel problème — quelque chose comme un trust d'intelligence ou, comme cela l'est devenu, un fonds d'intelligence portant le nom de BrainReserve.

Lors de la fondation de notre entreprise en 1974, mon collaborateur de l'époque, Stuart Pittman, et moi avons concrétisé l'idée de BrainReserve. Notre personnel se réduisait au début à trois personnes (avec un seul adjoint). Mais chaque fois que nous décrochions un contrat, nous réunissions les gens de notre «réserve», soit les personnes les plus intelligentes que nous connaissions — Shirley Polykoff, Martin Solow, Stan Kovics, Ted Shane, Onofrio Paccione, Bert Newfeld — et assis dans la bibliothèque aux panneaux de bois du Lotus Club dans notre bureau temporaire, nous nous attaquions aux problèmes.

Ces séances de remue-méninges correspondaient tout à fait à ce que j'avais imaginé: des têtes solides travaillant ensemble à résoudre des problèmes. La technique de la réflexion — sans contrainte aucune. Très rapidement, l'équipe de notre «réserve» se mua en banque informatisée surnommée fichier-talents; elle compte maintenant plus de deux mille membres. (La revue *Spy* de mars 1991 qualifiait notre fichier-talents «d'énorme fichier d'experts».)

Même si les réunions devaient traiter de sujets spécifiques, je me suis aperçue, au fil des années, que l'on glissait souvent vers d'autres problèmes. Les gens du cinéma et les médecins par exemple, entreprenaient de vives discussions sur les nouveautés en matière de disques compacts, de fours à micro-ondes, ou de planification des naissances.

En réunissant des gens qui d'habitude n'échangeaient pas leurs points de vue (ou des experts qui, en temps normal, rivalisaient entre eux), nous avons vu des idées se traduire en gestes; dès le début, un spécialiste de l'environnement expliqua à quel point le recyclage prendrait de l'importance; un architecte commença alors les plans de boîtes de recyclage encastrées pour les cuisines nouvel âge; quelques membres de notre fichier-talents œuvrant dans les médias entreprirent par la suite d'informer le public de ce qui se pointait à l'horizon.

J'ai réalisé l'importance de ces «glissements». L'avenir en matière de consommation ne flotte pas dans les airs, mais se trouve plutôt à la confluence de facteurs psychologiques, sociologiques, démographiques et économiques. Les experts de chaque discipline peuvent sans doute percevoir une ou deux pièces du puzzle que constitue l'avenir. Le fait de réunir ces experts permet une vue d'ensemble. On peut alors sentir l'énergie, l'élan et l'enchaînement des idées. L'avenir prend forme.

Chacun peut se créer un fonds d'intelligence.

Communiquez avec les huit ou dix personnes les plus brillantes de votre entourage et constituez-vous un conseil privé, votre propre ministère de la vie en quelque sorte. Dénichez des gens de diverses professions; par exemple, si vous travaillez dans le domaine des produits manufacturés, invitez un voisin qui enseigne la psychologie, un cousin rédigeant des livres d'informatique. Choisissez des gens dont l'âge, la formation scolaire et la personnalité varient. Expliquez-leur la nature de vos problèmes au travail et les décisions que vous aimeriez prendre. Demandez à chacun d'écrire dix changements susceptibles, selon eux, de se produire au cours de la prochaine décennie et discutez ensuite de la façon dont ils pensent que ces changements *s'effectueront*. Stimulez les esprits à l'aide des tendances que nous avons déjà cernées. Ces séances de remue-méninges au sujet de l'avenir conviennent à tous les problèmes de travail ou de vie en général. N'ayez pas peur de poser des questions et d'écouter.

Vous aurez ainsi accès instantanément à une banque de talents.

Le problème est que trop d'entre nous s'éveillent en pleine nuit, en proie à la solitude et à l'anxiété face à l'avenir. Il nous serait beaucoup plus profitable d'affronter l'avenir ensemble, en collaborant durant le jour. En matière d'avenir, nous sommes tous logés à la même enseigne.

Les éditeurs m'ont depuis longtemps demandé d'écrire un livre traitant des tendances futures, mais je n'étais pas prête. L'occasion s'est finalement présentée.

Même si certains économistes prédisent une catastrophe terrible, je crois fermement que l'avenir sera meilleur que le présent. Je veux indiquer aux gens un moyen de sortir du pessimisme. Je veux être celle qui présentera les nouveaux consommateurs aux nouvelles entreprises commerciales. Je veux en outre joindre les rangs d'une collaboration positive axée sur l'action de demain.

VOICI LA PREMIÈRE PHRASE DE LA SUITE DU LIVRE: ESPÉREZ.

DEUXIÈME PARTIE

CHEMINS DE L'AVENIR

Il faut que ce soit meilleur. Ou pire, pour ensuite être meilleur.
ou
«L'avenir n'est pas ce qu'il était.»
(attribué à Casey Stengel)

Nous sommes en 2010
Deux visions: pessimisme *vs* espoir

La logique pure peut nous conduire dans une fausse direction: les choses ne vont pas toujours du point A au point B, de mauvaises à pires. En se fondant sur les indicateurs de tendances, on peut voir que les choses peuvent passer de mauvaises à meilleures ou même à excellentes. Voici deux scénarios différents: la logique linéaire *vs* la prédiction de tendances: le pessimisme *vs* l'espoir.

Nous sommes en l'an 2010.

Vous essayez d'ouvrir votre porte mais vous n'y arrivez pas en raison des innombrables déchets empilés à l'extérieur. Alors qu'à une certaine époque vous dépensiez environ 10 pour cent de votre salaire à l'achat d'articles superflus, il vous en coûte maintenant un 10 pour cent pour vous débarrasser de ces mêmes articles. Le signe de la richesse consiste désormais à pouvoir faire ramasser ses déchets. Les nouveaux riches de 2010 se sont enrichis non pas par la création de nouveaux produits mais en réussissant à se défaire des déchets — ce sont les barons du déchet. Les propriétaires du moindre site d'enfouissement ont le monopole du pouvoir.

Ou:

Nous adopterons une attitude de consommation/réapprovisionnement face à la vie. Réapprovisionner et consommer. Consommateurs et entreprises commerciales auront appris que la consommation et la production ne constituent pas la fin du cycle. Le cycle se termine avec le réapprovisionnement, en retour.

Nous sommes en l'an 2010.

De plus en plus de systèmes s'effondrent. L'amoncellement de déchets toxiques n'a fait qu'empirer. Chaque année, une autre ville de grandeur moyenne de l'Amérique doit être évacuée.

L'air est si pollué que vous n'êtes autorisé à conduire l'auto que trois jours par semaine — ce qui représente d'ailleurs tout ce que vous pouvez vous permettre car le plein d'essence coûte environ quatre-vingts dollars. Les différentes couleurs des plaques d'immatriculation indiquent les jours où l'on a l'autorisation de conduire son véhicule. Quelqu'un possède un droit sur l'air. La climatisation de l'air s'appelle désormais purification de l'air et coûte une fortune.

Un autre magnat a acheté les approvisionnements d'eau et les contrôle. Le long bain chaud est un luxe relevé au compteur.

Ou:

L'Amérique commerciale d'aujourd'hui est chose du passé.

Tous les gens brillants ont démissionné des méga-sociétés pour fonder leurs propres entreprises, axées sur la société et l'environnement. Profitant du choix, les consommateurs sont très désireux d'acheter «à bon escient».

L'automobile n'est plus indispensable. La vie semble réduite à plus petite échelle — nous travaillons à la maison, reliés à des réseaux d'amis par des systèmes électroniques émettant et recevant de l'information jour et nuit.

Vivant selon nos moyens et nos ressources, nous guérissons tranquillement la planète.

Nous sommes en l'an 2010. Un gardien armé va chercher vos enfants à l'école et les ramène dans votre enceinte. Les rues sont le centre des drogues et de la criminalité, gouvernées par ces générations démunies qui n'ont jamais appris à participer de manière responsable à la vie collective.

Vous allez rarement vous promener seul, à moins d'une garantie de sécurité. Les parcs publics sont livrés à l'anarchie. Pour jouir de la nature, il vous faut payer l'abonnement à un parc privé fortifié.

Ou:

La vie semble maintenant avoir plus de sens. Votre nouveau voisinage se compose d'unités de cohabitation pour célibataires et familles, une association collective souple. Vous partagez les biens et services: un bureau communautaire doté des équipements les plus modernes, une cuisine dernier cri et des endroits de divertissement, une garderie, une clinique médicale et un parc.

Il y a encore des problèmes de drogues, de criminalité et de pauvreté mais on a beaucoup travaillé pour améliorer les choses: chaque entreprise commerciale contribue à l'éducation, à l'emploi et vient en aide aux démunis. Toute personne se portant volontaire au travail communautaire reçoit en prime une exemption d'impôts.

Nous sommes en l'an 2010.

L'Amérique est maintenant une puissance de troisième ordre. Nous n'avons jamais regagné le terrain perdu. Tout ce qui nous effrayait en 1990 s'est produit.

Ou:

L'Amérique a repris toute sa force; elle est astucieuse, sensée et en pleine santé fiscale. Nous avons gagné le terrain perdu. Après le socio-séisme, l'ancien type d'administration a fait place à un nouveau mode de participation à la gestion des entreprises. Le fossé entre travailleurs et gestionnaires s'est rétréci; nous avons un nouveau respect de l'individu. Nous avons fini par nous re-distinguer comme une nation en mesure de fabriquer des produits de *qualité* se disputant le marché mondial. Nous avons développé notre serviabilité. Les systèmes sont décentralisés et humanisés. Nous sommes à nouveau un chef de file en matière d'innovations.

Les gens se sont réapproprié la culture. La créativité éclate partout. Nous avons réconcilié le monde des affaires et la civilisation. Nous avons fini par comprendre que les réalités archétypales — la terre, l'air et l'eau — constituent la véritable monnaie de l'avenir.

Il y a eu un retour des valeurs.

Le bonheur faisait jadis partie intégrante des droits acquis à la naissance. Lorsque Thomas Jefferson parlait de la vie, de la liberté et de la recherche du bonheur, il voulait dire que plus une société nous offre des possibilités, plus nous serons heureux. Le système de valeurs de l'après-pessimisme nous offrira le bonheur des possibilités.

Voilà le scénario qui l'emportera — la vision de la guérison. C'est l'avenir auquel aspirent les consommateurs. Nous n'endurerons le désastre qu'un certain temps avant d'aspirer à un changement de perspective.

C'est alors que nous changerons de perspective.

Déchiffrer la culture

Le problème de l'Amérique commerciale, c'est que trop de gens qui ont trop de pouvoir vivent dans une boîte (leur foyer) et font chaque jour le même trajet vers une autre boîte (leur bureau). Ils allument rarement la télé parce qu'ils sont débordés de travail. Ils lisent rarement toutes les pages de leur journal parce qu'ils sont par ailleurs prisonniers d'une troisième boîte, leur boîte intérieure.

Si je parle d'un article paru dans la revue *Vegetarian Times*, la plupart des gestionnaires d'entreprise sourient poliment comme si je parlais d'une revue à l'idéologie dépassée. Ils ne se rendent pas compte qu'un nombre croissant de gens ordinaires lisent effectivement *Vegetarian Times*. Ils ne comprennent pas non plus le danger à ne pas «voir» ce qui peut s'avérer prophétique.

Ce genre d'autisme culturel paralyse l'Amérique commerciale.

L'antidote proposé par BrainReserve: fouiller la culture contemporaine à la recherche de signes précurseurs de l'avenir. C'est ce que j'appelle déchiffrer la culture, tenter d'en toucher le maximum de facettes — pour comprendre l'ensemble. Compenser les vues étroites en développant une sensibilité différente, une «perception» de ce qui se passe.

L'anticipation constitue la première étape du processus de création d'une nouvelle réalité.

Le dépistage des tendances est l'une des manières de prévoir de nouvelles réalités et d'aider nos clients à les créer.

À BrainReserve, nous suivons de près quelque trois cents journaux et revues, les vingt émissions télévisées les plus populaires, les films primés et les livres les plus vendus, les tubes musicaux, et nous repérons en outre les tendances dans des magasins de tous genres (tant en Amérique qu'ailleurs) en matière de nouveaux produits. C'est la culture actuelle qui indique le chemin à suivre.

Une nouvelle émission télévisée prend-elle la vedette? À quels besoins du public répond-elle? Le *Cosby Show* par exemple, avec ses valeurs familiales, s'adressait aux téléspectateurs qui se retiraient de la révolution sexuelle pour s'installer dans leur cocon. L'émission terre-à-terre de Roseanne Barr indiqua par la suite un détournement du public du faste des émissions comme *Dallas* et *Dynastie*. Roseanne Barr est vraie, elle est forte: c'est une épouse et une mère; elle est membre d'un groupe de surveillance et ne mâche pas ses mots pour verbaliser la colère de tous les consommateurs.

Vérifiez au moins une fois par mois la liste des livres, des films et des produits les plus populaires et demandez-vous: pourquoi tel produit? pourquoi maintenant? (Pas de livre pour maigrir? Les gens en ont-ils assez des régimes amaigrissants? Ou Oprah[5] a-t-elle prouvé que les régimes ne servaient à rien?) Changez de station radiophonique de temps en temps. Lisez une fois par mois une revue que vous n'avez jamais lue. Abstenez-vous pendant une semaine de lire les revues traitant de votre domaine (vous saurez quand même de quoi elles parlent) et lisez les rapports commerciaux d'une autre industrie.

Cherchez les failles. Pour ma part, je ne cesse jamais de demander aux gens que je croise — les chauffeurs de taxis, les gens dans les aéroports, les personnes en file pour le cinéma — ce qu'ils pensent au sujet des automobiles, des biscuits ou des ordinateurs, ou de toute autre chose à l'étude à mon bureau.

L'avenir est là, dans le monde, et vous ne le trouverez pas là où la plupart des gens le cherchent. Il n'est pas à votre bureau.

Chaque fois que j'expose nos recherches sur les tendances à des groupes de gens d'affaires, les questions posées sont presque toujours formulées selon la perspective du consommateur plutôt que de celle du commerçant. Les gens d'affaires veulent toujours savoir ce qui va se passer, ce qu'ils doivent faire de leur vie personnelle ou la façon dont ils doivent planifier leur propre avenir.

Je leur dis alors ce que je vous dis ici: le pessimisme est la vision à court terme; l'espoir, la vision à long terme. Les tendances et la méthodologie présentées dans ce livre constituent le pont conduisant vers le long terme, d'une manière sûre et profitable.

---

5. Oprah Winfrey est animatrice de tribunes télévisées. (N.D.T.)

Dépistage des tendances

Les dix tendances suivantes brossent le portrait de la prochaine décennie.

Considérées globalement, elles tracent le profil des consommateurs que vous chercherez à attirer au cours des prochaines années. Les tendances vous expliqueront ce que ressentiront les consommateurs, les impulsions qui les motiveront à acheter tel produit plutôt qu'un autre et les types de stratégies, produits et services qu'ils accepteront — ou rejetteront. (Vous pourrez en outre déceler la façon dont chaque tendance vous touchera personnellement.)

L'état d'esprit des consommateurs actuels — leurs besoins, leurs peurs, et les avantages personnalisés qu'ils recherchent — importe plus que l'âge, le code postal ou les chiffres.

Votre étude de marché vous montre par exemple que les jeunes diplômés universitaires urbains gagnant un salaire annuel de 75 000 $ constituent votre cible «idéale». Peut-être — mais ce que l'analyse ne dit pas, c'est que ce groupe spécifique de consommateurs se sent actuellement désorienté, surchargé et déprimé. Ces personnes aspirent au fond à changer d'emploi, à déménager à la campagne et à vivre avec 15 000 $ par année. Ce qui n'est sûrement pas l'«idéal» pour vous.

L'étude des besoins du consommateur donne un portrait plus fidèle de la réalité qu'une étude des «types» de consommateurs — des études psychographiques plutôt que démographiques. En vous servant des *tendances* pour comprendre leurs besoins, rien ne vous empêchera d'atteindre les citoyens les plus fortunés.

Le marketing par le dépistage des tendances vous indiquera un auditoire réceptif aux produits de soulagement, à tout ce qui peut alléger le fardeau et diminuer le stress.

Les tendances sont prophétiques parce qu'elles commencent à petite échelle pour ensuite gagner du terrain. Si vous pouvez suivre la ligne entre le début d'une tendance et son impact futur sur votre entreprise, vous pourrez alors adapter parfaitement votre produit à la tendance. Au fur et à mesure qu'une tendance se dessine et se fraie un chemin sur le marché, elle augmente son emprise sur le consommateur. Comme une tendance dure en moyenne dix ans, le point fort des tendances actuelles propulsera votre entreprise ou toute autre entreprise, en tête de ligne jusqu'à la fin de la décennie ou au-delà.

Même si les tendances peuvent se modifier en raison d'événements extérieurs — une pénurie d'essence peut retenir au foyer celui que nous appelons le pantouflard baladeur — la force à la source des tendances présentées ici ne se modifiera pas subitement. Chacune de ces tendances comporte assez d'énergie, de variété et de stabilité pour se tailler une place sur le marché.

N'oubliez pas que chaque tendance ne représente toutefois qu'une fraction de l'ensemble. Ne vous aventurez pas trop loin dans une seule direction indiquée par l'une ou l'autre des tendances. Pour que votre entreprise ou votre produit soit dans le coup, il vous faudra comprendre comment les tendances travaillent conjointement à définir l'avenir.

Certaines tendances se contrediront inévitablement. Les tendances ne reflètent que les besoins potentiels du consommateur et les consommateurs sont des êtres humains, donc très contradictoires.

Chez BrainReserve, nous qualifions de «contre-tendances» ou d'envers de la médaille, ces impulsions contradictoires des consommateurs. À titre d'exemple, vous vous alimentez correctement et faites religieusement de l'exercice toute la semaine. C'est la tendance à rester en vie. Le samedi soir, vous vous «bourrez» de pizza, d'un litre de crème glacée et de biscuits aux brisures de chocolat. Vous vous dites, non sans méfiance et culpabilité, que vous le «méritez» bien, après une dure semaine. C'est la tendance aux petites gâteries. Il est important de comprendre que ces deux tendances fonctionnent simultanément à titre de tendance/contre-tendance (que nous surnommons dans cet exemple en bonne forme/embonpoint).

Considérez les éléments de notre fichier-tendances comme un genre de données informatiques concernant les *besoins* du consommateur, une source abondante de solutions pour résoudre n'importe quel problème de marketing. Les dix tendances suivantes tracent un portrait multidimensionnel des nouveaux consommateurs du prochain siècle.

Ces tendances peuvent élargir votre champ de vision, vous permettant ainsi de mieux saisir à quoi ressemblera l'avenir. Vous verrez du même coup *comment* votre entreprise peut tirer profit de cette perspective unique du futur.

Voilà le maketing en fonction des besoins.

Voilà l'art de comprendre les tendances.

Le *cocooning* de la nouvelle décennie

Nous nous écrasons, nous nous terrons, nous nous cachons sous les couvertures... vive le foyer! 1986
Nous sommes maintenant pantouflards à vie. 1991

À la fin des années quatre-vingt, les Américains étaient tapis dans des cavernes de haute technologie. Le *cocooning*, tendance que nous avons annoncée pour la première fois à la fin des années soixante-dix, battait son plein. Chacun cherchait refuge au foyer — fermait les stores, engraissait les oreillers, s'agrippait à la télécommande — se cachait. C'était une retraite généralisée vers le dernier environnement contrôlable (du moins en apparence) — nos propres tranchées. Et chacun s'en creusait. Le mot *cocooning* a fait vibrer une corde si globale dans la psyché américaine qu'il s'immiça dans le vocabulaire national et international. (On le trouva dans le métro de Paris en 1991: une annonce de draps promettant le summum en matière de *cocooning*.) La revue *Atlantic Monthly* place ce vocable en tête de liste des mots à insérer dans le dictionnaire *American Heritage*. Nous l'avions défini, au moment de son appellation, comme l'impulsion à gagner l'*intérieur* quand l'*extérieur* est trop difficile et menaçant. Le *cocooning* consiste à s'entourer d'une coquille protectrice pour se prémunir contre un monde mesquin et imprévisible — contre ces harcèlements et attaques dont la gamme inclut les serveurs bêtes, le bruit, la criminalité du monde de la drogue, la récession et le sida. Le *cocooning* représente l'isolement et l'évitement, la paix et la protection, le confort et le contrôle — une sorte d'hyper-nidification.

Nous l'avons vu venir alors que la fête qui le précédait battait encore son plein. Sur toutes les rives lointaines du chic (un endroit accessible à tous grâce à notre imagination de consommateur), le monde était une énorme discothèque-boîte de nuit. La nouvelle religion consistait à aller danser, à faire la fête, à manger dans de nouveaux restaurants. Nous percevions toutefois les signes que cette frénésie allait en sens inverse. L'expression «héberge-moi» prenait un nouveau sens. Les gens continuaient de sortir — par habitude surtout — tout en rêvant aux joies du foyer. Alors qu'il fut un temps où les gens arrivaient au bureau le lundi matin avec plein d'histoires sur les endroits qu'ils avaient fréquentés, les gens qu'ils y avaient rencontrés et ce qu'ils y avaient fait — les histoires parlaient maintenant de rester chez soi à ne rien faire du tout. Il ne s'agissait pas d'être anti-jet set ou d'aller à contre-courant — c'était un retrait de la réalité.

Nous avions identifié d'autres indicateurs de la tendance au *cocooning*: la montée en flèche des achats d'appareils vidéo et de la location de films; la fabrication d'aliments que l'on peut manger assis sur le canapé; l'ensemble des plats à emporter et les débuts d'une nouvelle explosion des naissances. (En 1988, 60 pour cent des foyers américains étaient dotés d'un magnétoscope, les ventes de maïs soufflé pour four à micro-ondes se chiffraient à 300 millions de dollars, les recettes des restaurants piquaient du nez alors que les ventes des restaurants faisant des plats à emporter constituaient, étonnamment, 15 pour cent de toutes les dépenses alimentaires. En 1990, nous avons enregistré 4,2 millions de naissances, un record depuis l'explosion de 1960.)

Les revues de décoration intérieure favorisèrent soudainement le chintz caractéristique du cottage anglais (Mario Buatta), un confort douillet en remplacement de tout ce chrome et ce verre anguleux. Les gens achetèrent de plus en plus de chiens! (En 1988, 52,5 millions d'entre nous avaient des animaux de compagnie, un record inégalé.) Le *cocooning* devint une préoccupation majeure tandis qu'un nombre record de gens redécoraient, restauraient, pour ensuite se détendre en regardant l'émission *This old house*.

Les ventes par correspondance atteignirent un sommet de 200 milliards de dollars en 1990, alors qu'elles se chiffraient à 82,2 milliards à peine dix ans auparavant. Les lignes téléphoniques pour bavarder, les services de location de chat, le «foyer vidéo», les nouvelles coupes élargies de jeans pour un meilleur confort, étaient autant d'indices éloquents de la tendance au retranchement. La compagnie de pyjamas Joe Boxer fit état d'une augmentation de 500 pour cent de ses ventes. Tout indiquait une manière plutôt agréable et douillette de se cacher, un sens du foyer presque semblable à celui des années cinquante — même si, pour l'imiter, les mères travaillant à l'extérieur devaient se ruer quotidiennement du bureau à la maison.

En 1990, nous étions dans notre cocon depuis dix ans. Comme la plupart des tendances ont une durée de dix ans, on pouvait s'attendre à ce que le *cocooning* prenne une autre direction à la fin des années quatre-vingt (que nous souffririons d'une sorte de «mal d'enfermement» collectif, que nous simplifierions au maximum nos foyers, et que nous retournerions dans le monde, la nouvelle scène principale). Mais il y avait peu d'indices d'un désir de sortir de notre enfermement. Nous avons au contraire vu le comportement du consommateur prendre une autre tournure.

Nous nous enfoncions dans une retraite émotionnelle autant que physique. Nos répondeurs téléphoniques filtraient *tous* nos appels. (J'ai des amis qui ont des rendez-vous téléphoniques plutôt qu'en personne.) Certains d'entre nous sont trop surchargés ou exténués par le stress de la vie pour se donner la peine de retourner leurs appels, y compris les appels d'amis à qui ils auraient vraiment envie de parler. Le début des années quatre-vingt-dix nous a plutôt conduits à une ère de super-tanière, toujours plus profonde, nous construisant des abris anti-nucléaires pour y pantoufler à vie. On parle d'une *recrudescence* de la criminalité, du sida, de la récession et de la guerre. En réalité, les nouvelles sur la guerre influencent profondément notre idée personnelle du foyer. Nous parlons «d'abris renforcés» et de «pièces étanches» en cas d'attaque. Les Américains se procurent des masques à gaz. La peur du terrorisme nous maintient blottis à la maison. Sortir de nos cocons? Pas question. Le *cocooning* a plutôt entrepris une phase nouvelle, plus sombre, se divisant en ce que nous nommons trois autres évolutions de la tendance: le cocon blindé, le cocon baladeur et le cocon social. Le *cocooning* ne désigne plus seulement un endroit qui serait le foyer mais plutôt un état d'esprit: l'autosauvegarde.

LE COCON BLINDÉ

Voici un indice éloquent: la possession d'armes à feu chez les femmes a grimpé de 53 pour cent entre 1983 et 1986, pour atteindre plus de 12 millions. Le nombre de femmes envisageant l'achat d'une arme a quadruplé. Attendez-vous à une énorme expansion de l'industrie de la «paranoïa»: les systèmes d'alarme domiciliaire, les appareils anti-inspection, les systèmes de surveillance informatique reliés à des gardiens privés et le secours d'urgence. Des gardes du corps que l'on peut louer à un tarif horaire au même titre qu'une secrétaire temporaire. L'«entreposage» domestique de provisions et d'aliments, livrés en toute sécurité par des camions blindés, pour approvisionner et protéger le cocon.

Mais prenons note que le cocon blindé est davantage qu'un lieu précis. C'est un groupe d'entraide, un club privé qui refuse plus de gens qu'il n'en accepte. C'est le comité de surveillance de quartier, la délimitation de maisons et de routes sûres pour aller d'un endroit à l'autre.

S'il y a une leçon urgente que les agents de marketing devront apprendre au cours de cette décennie — j'y reviendrai plus loin — ce sera de trouver de nouvelles façons d'atteindre le consommateur hyper-terré. Pour réussir à pénétrer dans le cocon, les commerçants et les détaillants devront se détourner des formes traditionnelles d'accès au consommateur — tant d'un point de vue physique qu'émotionnel. N'espérez plus que le consommateur viendra à vous. Vous devrez aller à lui, dans le cocon.

LE COCON BALADEUR

Le *cocooning* signifie le contrôle de son environnement personnel — et on ne peut limiter son environnement au foyer (même si l'augmentation énorme du nombre d'entreprises situées à la maison témoigne d'une tentative réussie; en février 1991, 18,3 millions de gens gagnaient leur pain dans des entreprises au foyer; 65 pour cent de ce nombre étaient des femmes). Nous voulons nous sentir en sécurité partout où nous allons. Nous voulons que le cocon nous accompagne en voyage. Le problème: il faut trop de temps pour se rendre au travail, trop de temps de transition effrayant entre deux cocons. (Remarque aux entreprises: plus le lieu de travail ressemble à un cocon, plus le travailleur est heureux et productif.) Les Japonais font actuellement l'essai de l'aromathérapie dans les bureaux. La solution: transformer les divers moyens de transport en autant de types de cocons baladeurs. Nous l'observons déjà dans l'usage que font les gens du temps passé dans l'automobile; ils prennent de plus en plus de repas dans leur voiture, en regardant, aux feux rouges, des mini-téléviseurs, en réglant leurs affaires et leurs corvées d'entretien par le téléphone cellulaire et le télécopieur cellulaire. La voiture Lexus, modèle 1991, offre en option téléphone cellulaire sur le volant qui baisse automatiquement le volume de la radio lorsque vous recevez ou composez un appel. Les compagnies automobiles japonaises devancent la tendance avec des modèles «*cocooning* hors du foyer» offrant des cabines intérieures plus agréables et confortables — allant même jusqu'à inclure un four à micro-ondes dans la boîte à gants. Des familles entières et d'autres groupes mènent des vies miniatures dans des camionnettes miniatures et dans les modèles récents de Voyagers et Winebagos. Nous serons moins enclins à sortir de ce cocon secondaire puisque ces voitures sont si confortables. Le temps de conduite se transforme en «évasion» protégée. (Voici un indice de ce que sera en fait le style des années quatre-vingt-dix: luxe intérieur dans un emballage extérieur de simple papier brun pour éviter que les étrangers «menaçants» ne s'en aperçoivent, ne vous jugent en conséquence, n'éprouvent de la jalousie et ne vous assomment.) L'agent de marketing qui trouvera une manière d'exploiter ce nouveau changement culturel en faveur du *cocooning* en temps de conduite automobile, fera des affaires d'or. (Imaginez les possibilités étonnantes qui s'offriront lorsque «l'avion personnel devant chaque maison» deviendra une réalité. À l'étude depuis 1956, ce nouveau moyen de transport personnel sera bientôt disponible et le moment est idéal pour son apparition sur le marché.) Et que dire de la fourgonnette privée, du véhicule à itinéraire fixe et à prix modique ou de l'autobus, du train et de l'avion commercial transformés en cocons?

Les compagnies aériennes doivent tenir compte de cette obsession exacerbée de sécurité avant qu'il ne soit trop tard. À mesure que les compagnies aériennes changent de mains, passant des ex-pilotes qui nous semblaient éprouver un intérêt personnel, un sentiment de propriété et même d'intimité pour chaque avion, aux spéculateurs capitalistes pour qui les avions ne sont rien d'autre que des propriétés sur papier, notre inquiétude ne cesse de grandir. «Ces gens coupent-ils là où ne l'auraient pas fait des pilotes? Suis-je en sécurité dans cet appareil?»

Voici ce que je recommanderais d'abord aux compagnies aériennes:

- Admettre le lien entre le goût du *cocooning* et la nouvelle exigence du consommateur pour moins de standardisation et plus de «normes d'excellence».
- Prouver au consommateur que ce sont de véritables personnes, éprouvant une véritable fierté d'artisans, qui sont responsables de la fabrication et de l'entretien de ce cocon volant. Pourquoi ne pas inciter chaque équipe de travailleurs ayant collaboré à la construction de l'avion à y apposer sa signature en gage de fierté et de responsabilité? Des étiquettes sur chaque appareil montrant le kilométrage, l'âge des pièces, la date de la dernière inspection — des certificats d'inspection portant des signatures spécifiques?
- *Protégez-nous* un peu — pourquoi ne pas affecter un gardien armé à chaque appareil? La police à portée de main dans le cocon volant.

LE COCON SOCIAL

«C'est désert ici. J'ai besoin de compagnie pour m'aider à passer la nuit.» Autant le *cocooning* consiste à fuir le tohu-bohu du monde, autant il consiste de plus en plus en un nouveau type de rapport entre les gens. Des nouvelles somme toute encourageantes en ce qui a trait à l'évolution du *cocooning*. Nous sommes en train d'élaborer un nouveau type de fête. Pas tout à fait du genre Londres-sous-les-bombardements, mais presque.

Voici ce dont il s'agit: nous invitons chez nous de façon sélective des hôtes d'un nouveau genre. Nous nous amusons au foyer, certes, mais pas pour les raisons habituelles. Il ne s'agit plus tellement de promotion sociale ou professionnelle ou même de fêtes réunissant la parenté. On cherche plutôt à s'entourer de compatriotes sympathiques et réconfortants. Des gens dont la compagnie permet d'apaiser les tourments.

C'est un phénomène que nous baptisons «se blottir les uns contre les autres et se réconforter», et qui consiste à inviter quelques très bons copains, la sœur préférée, un ami de longue date, pour une soirée tranquille dans le cocon. Probablement pas vos clients, votre patron ou vos fournisseurs. Personne qui ne vous plaise guère. Toujours des gens que vous aimez (que vous invitez en petit nombre) — en dépit de différences d'âge, de style de vie ou de statut social qui vous auraient jadis rebutés. C'est la caractéristique des séances de visionnement à la maison des reportages télévisés sur la guerre et dans les réunions régulières de cercles nouvellement formés qui se rencontrent pour lire à haute voix, cuisiner ensemble, jouer avec les enfants ou réactualiser le vieux concept d'entraide de la «construction communautaire de grange».

Les groupes plus audacieux se forment en cocon humain et vont dans les boîtes de nuit du voisinage en grappes serrées — d'où le nom que nous avons donné à ce mouvement social naissant: «salons et saloons». Le cocon social en est à ses premiers stades — mais surveillez bien ce secteur: de bonnes occasions d'affaires vont bientôt se présenter. Qu'on pense au retour de «l'heure du cocktail au foyer», une occasion d'affaire potentielle importante pour les fabricants et détaillants d'alcools, au fur et à mesure que les gens se réserveront du temps entre le travail et les obligations familiales pour aller d'un cocon à l'autre.

Le *cocooning* évolue constamment. Quand prendra-t-il fin ou sera-il remplacé? Quand les choses iront aussi mal à l'intérieur qu'à l'extérieur. Ou alors, quand les choses s'amélioreront.

Deuxième tendance

L'aventure fantastique

Envoyez-moi dans une autre vie, mais ramenez-moi pour dîner.

«Sortez-moi d'ici!» semble le refrain psychologique des années quatre-vingt-dix. Nous recherchons un soulagement au stress avec un désespoir créatif — par la fuite *physique* dans nos cocons à la recherche de réconfort, par la fuite *émotionnelle* dans nos fantasmes, à la recherche d'une libération. Même si l'aventure fantastique semble provenir du côté plus brave de notre cerveau, ces deux impulsions sont liées à la même recherche de sécurité. En quoi consiste exactement l'aventure fantastique? Il s'agit d'une escapade indirecte, grâce à la consommation, une purgation par la consommation. C'est une fuite momentanée et dépaysante du monde pour vivre une expérience «étrangère» à saveur exotique, un genre de bravoure imaginaire au moyen d'accessoires... c'est une identification d'évasion à un héros plus courageux que soi, capable de se débarrasser de tous les méchants, tout en vous ramenant à la maison pour dîner. Ce sont les locations de cassettes vidéo et les mets très exotiques, les parfums nommés Safari et les vélos de montagne pour se rendre au centre commercial. C'est une expérience astrale que l'on vit dans son fauteuil préféré. Ce sont des exploits toujours plus excitants et entrepris dans les conditions les plus sûres possibles; car la clé de la tendance à l'aventure fantastique est que la prise de risque est sans risque. On se balade dans le monde exotique, dangereux, méchant ou somptueux de son choix, avec la certitude d'un retour sûr garanti. C'est l'aventure par association, la sensation indirecte. Et pour la plupart de nos systèmes sensoriaux surchargés, cela suffit. Nous n'en demandons pas plus. Il y a déjà suffisamment de dangers à l'extérieur.

Nous constatons depuis quelque temps ce changement d'attitude chez les Américains à la recherche du plaisir, passant du je-m'en-foutisme à la prudence. Il n'y a pas si longtemps, les motocyclistes étaient furieux contre les nouvelles lois les obligeant au port de casques protecteurs. Comment la loi osait-elle s'immiscer dans leur droit de se rompre le cou? De nos jours, lorsque je vais à la campagne, je vois souvent des petits groupes parfaits d'hommes, de femmes et d'enfants pédalant lentement sur des petites routes. Quels sont les risques réels d'une excursion de ce genre? Pourtant, un nombre croissant de ces cyclistes portent une casque protecteur — non pas parce que la loi les y oblige (puisque ce n'est pas le cas) mais parce que même les risques *minimes* suscitent de nos jours d'énormes précautions. Cela indique un changement au niveau de la sensibilité des consommateurs. Au début, nous voulions réduire le risque. Nous voulons maintenant l'éliminer complètement.

Voici un aperçu de ce que l'aventure fantastique a introduit sur le marché. Au premier plan se trouve l'«aventure» locale manufacturée. Un hôtel d'Hawaï attire les baigneurs avec des reproductions des canaux de Venise. Une chaîne d'hôtels du Midwest américain offre l'aventure dans les «fanta-suites» — où l'on vous offre le choix entre le paradis tropical, la cabane en pleine jungle ou la tente de bédouin. Anheuser-Busch construit présentement un parc thématique de 300 millions de dollars présentant des endroits exotiques — l'Ouest traditionnel, la Polynésie et la Chine — à Madrid, en Espagne. Ce n'est pas que Madrid ne constitue en soi une aventure tout à fait satisfaisante — c'est seulement que le parc thématique est mieux contrôlé. La chaîne d'hôtels Hyatt prévoit inaugurer quelque vingt-cinq hôtels fantastiques d'ici quelques années. Jusqu'aux centres commerciaux (comme le Century City de Los Angeles, en Californie) qui prennent l'aspect de parcs d'amusement pour adultes. (En 1987, 235 millions de gens ont dépensé près de 4 milliards de dollars dans les vrais parcs d'amusement.) Disneyland attire maintenant plus de visiteurs que la capitale des États-Unis. La tendance est en outre planétaire. Fort de son succès au Japon, Disney a inauguré un parc plurilingue près de Paris.

Dans le secteur dynamique de l'aventure, il y a trois millions de plongeurs sous-marins actifs (dans le seul pays des États-Unis). En 1990, 400 000 (dont le tiers était des femmes) furent diplômés et dépensèrent des millions en équipements divers. Un gros marché. Mais on pourrait créer un marché encore plus gros avec une chaîne d'aquariums de plongée pourvus de bancs de coraux, de végétation et de poissons exotiques et reproduisant divers environnements tels que les Caraïbes, la mer Rouge ou la Grande Barrière de corail. L'évasion rapide sans tracas.

L'alimentation (cet indice éloquent) est un trésor de possibilités en matière d'aventure fantastique. Alors qu'il y a à peine une ou deux décennies, le consommateur américain pouvait choisir entre 65 sortes de produits frais, ce choix a de nos jours grimpé à 250 — avec la croissance énorme dans le secteur que l'on appelle exotique: dans les rangées du supermarché local, kiwis, coquitos et pommes de terre pourpres voisinent l'arugula, la moutarde chinoise et les bananes miniatures. La nourriture ethnique est devenue la norme: sushi, dim sum, sate, blini, mets thaïlandais et steak de bison. La salsa est devenue le ketchup du nouvel âge. La consommation de graines de fenouil a augmenté de 255 pour cent en 10 ans.

Que dire du sexe? À l'heure actuelle, alors que des activités à prime abord fort innocentes risquent d'être jugées pernicieuses, nous avons fait de la pornographie l'industrie majeure du marché du divertissement (20 pour cent des locations vidéo sont des films érotiques). Les compagnies de vente par correspondance (comme la Sexuality Library) vous expédient des livres et des films réservés aux adultes. Une nouvelle bière française, la bière Amoreuse, est corsée d'herbes et d'épices reconnues pour leurs effets aphrodisiaques. L'attirail de la passion (lingerie et autres articles vendus par correspondance) connaît un succès plutôt ahurissant. Il est certes difficile d'évaluer la quantité de ces articles servant à donner du piquant à la sexualité et ceux servant à la remplacer. Je suis d'avis que le «théâtre» du sexe — films, livres, boissons et lignes téléphoniques — remplace en fait bon nombre des aventures sexuelles par trop risquées du passé.

À la fine pointe de la mode de l'aventure fantastique, il y a le couturier d'origine turque Rifat Ozbek, qui habille tant Madonna que la princesse Diana avec ses modèles ethniques, exotiques et d'inspiration orientale. Mais à la maison, dans le cocon, dans notre vie quotidienne, nous traduisons l'aventure fantastique par des articles très «américains» et très «nature»: des bottes d'excursion, des chemises à carreaux, des vestes de pêcheurs et de l'équipement destiné à la voile sur eau vive pour arroser le gazon de notre jardin. Examinez aussi les visages qui font la promotion de la mode: l'élue du photographe des années quatre-vingt-dix a les yeux noirs, le sourcil broussailleux, une grande bouche et une allure ethnique. Les «femmes inoubliables» de Revlon sont originaires de Somalie ou de l'ancienne Union soviétique. La nouvelle étoile d'Estée Lauder, Paulina Porizkova, vient de Tchécoslovaquie.

La chic cabane en rondins est une belle évasion. La décoration intérieure de style les-cowboy-et-les-indiens constitue un gros marché. Plusieurs des livres de décoration les plus vendus vantent des styles qui vous transportent ailleurs: le style Santa Fe, le style français, le style italien, le style anglais ou le style rural. C'est le cocon de l'aventure fantastique. Ou l'évasion nostalgique. En retournant dans le passé, il n'est plus nécessaire d'affronter l'avenir.

Dans le domaine musical, nous avons assisté à la montée des Gipsy Kings: la musique gitane du sud de la France — la fougue du flamenco, les airs mauresques et un grand courant de rythme disco. L'un des albums les plus vendus en 1991, celui de Paul Simon, intitulé *The Rhythm of the Saints,* se compose d'un mélange de rythmes brésiliens et de *riffs* africains sur guitare. La musique pop devient carrément universelle. Nous adorons les importations exotiques. Le reggae jamaïcain, le *heavy metal* cambodgien, les rythmes hypnotiques marocains, les fusions juifs yéménites. Ofra Haza, élevée à Tel Aviv par des parents yéménites, a produit plus de seize disques dont plusieurs sont devenus des disques platine. En provenance des Antilles françaises, «Zouk» (qui signifie «à la fête») nous emballe d'une musique de danse au rythme plus rapide que le reggae et combinant des sons français, africains et haïtiens. Sans parler du rap qui regroupe les folkloristes des années quatre-vingt-dix.

Quelle est la leçon à tirer pour les marchés de l'avenir? (D'une importance cruciale pour les secteurs du tourisme, du divertissement, des hôtels et de l'alimentation.) Les gens seront extrêmement attirés par les produits combinant le sûr et le familier avec une touche exotique ou aventureuse. Un aspect sensoriel additionnel — qu'il soit de l'ordre du goût, de la texture, de la tonalité, de l'arôme ou de la couleur — rend n'importe quel produit plus «sensationnel». Que l'on pense à la réapparition des «films parfumés», dont la projection s'accompagne de parfums vaporisés dans la salle. Ou aux salles d'évasion où l'on projette sur les murs des scènes et des bruits; par exemple un voyage à Paris ou au Kenya. Une compagnie californienne pense actuellement que les touristes iront bientôt dans des cinémas construits aux entrées des plus grands parcs nationaux américains pour voir un film sur écran circulaire géant, sans même avoir à entrer dans les parcs. Les bénéfices à en tirer: finies les marches épuisantes et les randonnées en autobus qui détériorent la nature.

Essayez de trouver ce qu'est l'équivalent véritable de l'aventure, de l'expérience du produit que vous offrez au consommateur. Les jardiniers (un marché évalué à un milliard de dollars) veulent-ils considérer leur lot de terrain comme un coin de jungle, transporté par chemin de fer dans un wagon recouvert, ou comme un jardin anglais parfait? Les propriétaires d'équipements électroniques se prennent-ils secrètement pour le capitaine Kirk du vaisseau spatial *Enterprise?*

Le défi consiste à offrir le familier sûr sous une apparence conforme au désir.

Car ce que nous voulons, même pour les expériences les plus banales, c'est être transportés sans risque.

Hors de nos vies.

TROISIÈME TENDANCE

Les petites gâteries

Et tant pis si nous ne les méritons pas.

Pour avoir une idée des petites gâteries, pensez à la Deuxième Guerre mondiale. Pensez aux barres de chocolat et aux bas de nylon. À une époque de privations et de mauvaises nouvelles, le chocolat et les belles jambes pouvaient faire la différence entre réussir à se rendre au bout de la semaine ou pas. Une petite «récompense» matérielle — un petit luxe encourageant — réussit parfois à nous rendre heureux, ne serait-ce que temporairement. Et un moment, c'est parfois suffisant.

S'il s'agit vraiment d'une vérité universelle, d'une impulsion humaine immémoriale, pourquoi alors parler des petites gâteries comme d'une tendance du moment? Parce que notre manière de vivre actuellement cette impulsion — et notre façon d'y réagir — ont pris une toute nouvelle dimension. Il y a aujourd'hui un *militantisme* de la complaisance, un sentiment marqué d'y avoir droit. On ne dit pas «Ah, ce que je donnerais pour (complétez la phrase avec votre fantasme)», mais «Je le *veux*, je l'*aurai* et je le *mérite*». (Dans une société de consommation, c'est-à-dire une société offrant des choix excédant les besoins de survie, la motivation n'a jamais été de l'ordre du besoin mais bien plutôt du désir. Le fait d'exciter cette motivation au point de passer du *désir* au *mérite* constitue un facteur récent et puissant de changement culturel.)

La clé réside bien sûr dans l'adjectif «petites». Ce qui fait de cette tendance celle des *petites gâteries* plutôt que celle de l'avidité effrénée, c'est une sorte d'équilibre des échanges, une analyse psychique des coûts/bénéfices. Nous recherchons un soulagement émotionnel — une gâterie des sens, une petite expression du moi — sans avoir à nous soucier du prix à payer ou des conséquences (même si des conséquences quelque peu onéreuses sont inhérentes à la gâterie). Alors qu'il y a une décennie, les consommateurs se ruinaient à acheter des objets de luxe voyants, nous sommes aujourd'hui déjà ruinés. Alors au lieu d'acheter une petite voiture rouge, nous achetons un petit fauteuil rouge. Nous gardons la maison de campagne abordable tout en mettant dans les lits des draps de coton. Nous faisons une mini-croisière plutôt qu'un voyage de quinze jours en Europe (75 pour cent de tous les voyages d'agrément sont maintenant d'une durée de trois jours ou moins). Nous optons pour un massage plutôt que pour la cure complète de rajeunissement. Une nouvelle piscine plutôt qu'une nouvelle maison. (Ou une piscine hors terre plutôt que la piscine creusée onéreuse.) Une belle coupe de cheveux plutôt qu'un veston Giorgio Armani. Le homard à la maison plutôt que dans un restaurant chic.

Mais il ne s'agit pas simplement de «substitution de gratification» — «j'achète ceci parce que je n'ai pas les moyens de m'offrir cela». Encore faut-il choisir un petit secteur et acheter ce qui se fait de mieux dans ce domaine: faire ses achats à la meilleure boucherie ou à la meilleure boutique de mets fins (les spécialités culinaires constituent le segment au taux de croissance le plus rapide de l'industrie alimentaire américaine en perte de vitesse), acheter le potpourri Claire Burke plutôt que celui de Glade, une plume Mont Blanc plutôt qu'un stylo Bic, une tablette de chocolat Godiva plutôt qu'une Mars. Et des visites régulières à la boutique Victoria's Secret... et au Secret Garden[6].

Entrez dans la danse, corps et âme, et donnez-vous la permission de vous défaire de toute circonspection (cette sale couverture mouillée de la vie). Laissez-vous aller à mal vous conduire. La gâterie — et le risque — sont minimes. Les soucis de bonne forme physique et de régimes amaigrissants en sont les cibles favorites. Le phénomène de la crème glacée de tout premier choix (superriche et savoureuse) — de marque Häagen-Dazs, Ben & Jerry's — est une petite gâterie pure. (Les ventes dans ce

---

6. Victoria's Secret: boutique de lingerie.
Secret Garden: à New York, parc au centre-ville, avec fontaine et arbres. (N.D.T.)

domaine étaient de plus d'un milliard de dollars à la fin des années quatre-vingt, alors que les épiciers mettaient de côté les
marques à meilleur marché pour faire plus de place à leurs clients
fortunés. Häagen-Dazs a ouvert des cafés-glace en Europe: l'analyse des tendances démontre que ces cafés seraient très populaires ici, à condition d'être confortables et tranquilles, et qu'ils
aient l'apparence de cocons: des petites gâteries dans un cocon
spécialisé.) En 1988, 42 pour cent des Américains admettaient
qu'ils commandaient un dessert plus d'une fois par mois, soit 17
pour cent de plus que l'année précédente. Mon anecdote favorite, du genre «qui l'aurait cru»: 1989 a vu apparaître le Plugra
(«plus gras»), nouveau superbeurre de marque Hotel Bar, promettant *plus* de gras que la norme américaine, ressemblant davantage aux «beurres veloutés d'Europe».

Je peux voir cette tendance à l'œuvre dans mon voisinage, la
ville de New York. Une boutique de souliers de designers a fermé
ses portes et fut remplacée par un magasin d'accessoires — cha-
peaux, foulards, bijoux de fantaisie. Tout ce qui s'y trouve semble
conçu pour mettre en valeur les robes de l'an dernier. De nouveaux accessoires originaux sont des réconforts instantanés, des
petites gâteries.

À quelques coins de rue plus loin, dans l'autre direction, se
trouve une minuscule boutique qui ne vend que des roses, une
douzaine de variétés, importées à bas prix de l'Amérique du Sud.
Très astucieux: ce qui était jadis un grand luxe est maintenant une
petite gâterie. Mais j'ai bien peur que mon voisin fleuriste offrant
toutes les gammes de produits ne survive bien longtemps. Les
promoteurs d'articles coûteux pâlissent parfois lorsque je parle
de cette tendance, espérant qu'elle connaîtra une fin rapide. Mais
les petites gâteries dureront un bon moment. Les bonnes nouvelles du côté des articles coûteux sont que les petites gâteries
suivent une courbe. Elles relèvent d'une échelle totalement relative.
Ce qui semble une grosse gâterie à l'un apparaît petite à l'autre.
La meilleure façon de tirer parti des tendances serait, pour les fabricants de grosses gâteries, de repenser, baisser le niveau de
leurs articles de luxe pour les rendre accessibles à une nouvelle
catégorie de «méritants». (Pourquoi pas, par exemple, une moto-
cyclette Mercedes? Ou un vélo de montagne Maserati? Un stylo
Rolls-Royce?) Voici un gros tuyau: faire plaisir à ses enfants est
encore plus satisfaisant que se faire plaisir. Je pense en particulier à

ce nouveau groupe social[7] constitué de mères et de pères d'âge mûr (qui en sont souvent à leur deuxième [ou troisième] épisode de procréation) avec de jeunes enfants — des grands consommateurs qui ne manquent ni d'argent ni d'envie de faire plaisir à leurs enfants merveilleux. Pensez à la ligne de vêtements super-chics pour enfants de marque William and Clarissa, la hausse du marché des animaux en peluche qui, de 1982 à 1987, est passé de 255 millions à 839 millions de dollars en commandes aux fournisseurs (sans doute pas toutes destinées aux enfants) et l'apparition de produits si charmants du genre Bear Bath, un shampooing spécial pour les animaux en peluche sales.

L'important, avec cette tendance, c'est la qualité. On ne peut se faire plaisir avec de la camelote. Il n'y a pas de satisfaction psychique durable dans le simili. Les consommateurs attachent davantage d'importance à ce que représente réellement le prix. La valeur remplace l'image. La valeur intrinsèque remplace le nom. Au cours de la présente décennie, il se peut bien qu'une montre Timex de première qualité surpasse une Rolex.

Et voici une nouvelle variante de cette tendance que je surveille de très près (vous auriez intérêt à en faire autant). Nous l'appelons «se gâter à rabais» et elle émane directement de l'évolution du courant sous-jacent «qualité à tout prix» de la tendance aux petites gâteries. Pour pouvoir répondre confortablement à notre exigence de qualité, nous avons déjà réduit les dimensions de nos gâteries. La consommatrice semble désormais se dire: «Voilà qui était très raisonnable de ma part — pourquoi ne pas l'être tout à fait?» Elle se met donc en quête de la qualité au meilleur prix possible pour ainsi pouvoir se gâter à rabais. Voilà qui ne semble guère étonnant, à moins d'évoquer la sagesse classique du passé qui dit que la moitié environ du luxe d'un achat réside dans l'acte de l'acquérir: l'empressement du vendeur, le prestige du magasin, l'«aura de l'acquisition». Ce n'est pas tellement que la consommatrice croit que la crème de nuit va vraiment faire l'affaire mais plutôt qu'elle l'ait payée 100 dollars. Elle semble maintenant se plaire à imaginer comme ce serait bien de trouver la même chose pour 65, 25 ou même 10 dollars (c'est-à-dire les produits exotiques, naturels et de prix raisonnable que l'on trouve à n'importe quelle boutique Body Shop). Par-

---

7. Voir les acronymes MOBY's et DOBY's au glossaire. (N.D.T.)

tout dans le pays, nous assistons à une vague de mise au rabais des produits très coûteux. La gâterie se caractérise par la qualité plutôt que par le montant dépensé; d'ailleurs, le succès d'entreprises comme le Club Price le démontre bien. Nous réduisons nos attentes sur toute la ligne, jusqu'à la banque.

On se demande certes si cette réduction de la satisfaction réussira à maintenir notre équilibre, à alimenter notre estime de soi tout au long des jours austères de cette nouvelle décennie. Verrons-nous apparaître une mentalité postmoderne de barres de chocolat? (En d'autres termes, cette tendance persistera-t-elle?) Les bonnes nouvelles pour les promoteurs: plus la situation se détériore, plus nous avons besoin de ces petits remontants pour tenir le coup dans les moments difficiles. L'autre bonne nouvelle est que je vois se dessiner une remontée — dans nos esprits, notre culture, notre économie. Une foi renouvelée en l'avenir, fondée sur l'optimisme.

Si c'est le cas, notre appétit pour les gâteries, petites ou autres, augmentera toujours.

Quatrième tendance

Égonomie

C'est la part d'ego dans ce qu'ils achètent.

Les clichés d'une culture reflètent souvent les vérités les plus profondes. Les airs que nous chantons peuvent nous trahir. Certains disent que l'on peut psychanalyser une génération à l'aide des thèmes des chansons qu'elle popularise; j'irais encore plus loin. On peut en fait *prédire* par la musique une modification psychographique. Il est impossible de s'imaginer les générations précédentes en train de chanter «*I Did It My Way*» ou «*I Gotta Be Me*» avec l'élan d'amour-propre caractéristique des années soixante-dix et quatre-vingt. Je dirais même qu'il y avait un rapport direct entre ces chansons et le comportement typique de la «décennie du moi».

Le message est: prêtez attention à la culture populaire.

Le «culte du moi» est au cœur même de l'égonomie. Mais il s'agit aujourd'hui d'un narcissisme plus *acceptable*. Il n'est pas question de la mégalomanie des maîtres du monde associée aux temps frénétiques de la spéculation boursière, mais plutôt que chacun désire un peu d'attention, un peu de reconnaissance de cette part *unique* de soi. Il s'agit de l'individuation, de la différenciation, de la fabrication sur mesure. C'est un élément majeur avec lequel il faut composer sur le marché actuel. L'égonomie veut dire simplement ceci: il y a des profits à tirer de la satisfaction du besoin de personnalisation du consommateur — que ce soit au niveau de la conceptualisation des produits, de leur fabrication, de leur individualisation, ou du service après-vente.

Quand les premières automobiles Ford sortirent de la chaîne de montage — rutilantes, efficaces et, par-dessus tout, *identiques* les unes aux autres, le monde en est venu à considérer l'uniformité — l'uniformité en quantités industrielles — comme la marque d'excellence de l'époque moderne. C'est maintenant l'inverse qui se produit. L'efficacité, le clinquant et l'uniformité sont aujourd'hui souvent associés à la grossièreté et au bon marché, surtout lorsqu'on les compare à l'aspect personnalisé des produits d'artisanat (ou de tout produit fabriqué individuel-lement).

On peut considérer l'égonomie comme la sœur des petites gâteries — l'autre aspect du syndrome du «je-le-mérite». Alors que l'accent, dans le cas des petites gâteries, est placé sur le «mérite», c'est le «je» qui tient le rôle principal dans l'égonomie. «Ce produit ou ce service est pour *moi*. On l'a conçu pour que je m'en serve pour m'exprimer. Je ne suis pas un numéro. Je suis différent de mon voisin.» L'égonomie déplace l'accent mis sur les priorités du fabricant pour le mettre sur celles du consommateur. L'égonomie est la version extrême de la promotion ciblée. Il s'agit d'imaginer chaque consommateur au centre de sa propre niche. Le succès ira au promoteur qui fera en sorte que chaque client se sente unique.

L'édition est un bon secteur pour commencer l'étude de cet-te tendance. Prenons par exemple la différence entre les jour-naux et les revues. Le journal est un objet public, un médium d'information de masse, impersonnel et prêt à jeter. Son côté im-personnel se mesure à notre empressement à le lire très ouverte-ment dans les endroits publics, à notre indifférence relative si un étranger ose le lire par-dessus notre épaule dans un wagon de métro bondé. Les revues sont par contre tout à fait personnelles. On ne tolère *jamais* qu'un étranger lise notre magazine en même temps que nous.

Les revues sont trop révélatrices de notre personnalité car elles approfondissent au fil des pages des sujets intimes. Une part de soi s'identifie secrètement à la revue choisie. L'abonnement secret livré au foyer est encore plus personnel. Pas surprenant alors de voir, à l'ère de l'égonomie, une extraordinaire proliféra-tion de revues et de magazines s'adressant à un public toujours plus précis. Magazines pour retraités (voici un aperçu de l'importance qu'une «niche» peut atteindre: *Modern Maturity,* la revue de l'association américaine des personnes retraitées [AARP], a le plus gros tirage — 22,5 millions — de toutes les revues d'Amérique); revues pour amateurs de chats; pour amateurs de musculation thoracique; pour amateurs de plantes vertes au sous-sol; pour serveuses de restaurant travaillant de nuit. Baptisées «*fans-revues*[8]», certaines de ces publications d'esprit ésotérique et d'un tirage moindre ont une clientèle régulière étonnamment diversifiée. Quant aux géants, *Time* et *Newsweek,* ils ont pris leur part du marché égonomique: *Time,* avec son numéro du 26 novembre 1990 qui présentait un article sur les publipostages illustré en couverture, personnalisa chacun des magazines des quatre millions d'abonnés en plaçant le nom de l'abonné dans un encadré flatteur sur la couverture; *Newsweek,* avec son art consommé de produire des numéros personnalisés, inclut diverses annonces publicitaires s'adressant à divers types d'abonnés tels les gens qui viennent de déménager ou les aînés. Le nouveau programme de *Newsweek* permet d'appeler les abonnés par leur nom et leur fournit les adresses des vendeurs d'automobiles du quartier, des points de vente des produits spécifiques dont ils ont besoin, ou autres tuyaux et détails adéquatement personnalisés. *Time* dispose de moyens semblables. Voilà ce que j'appelle l'égonomie.

John B. Evans, un cerveau de la Rupert Murdoch's News Corporation, affirme que l'avenir des médias se trouve dans l'ultraspécialisation. «Pour survivre à l'ère de l'information, dit-il, il faut circonscrire la clientèle.» Ce qui est étonnant, ce n'est pas de capter sur un des quarante-huit postes de télé un spectacle ésotérique de pêche à la mouche, mais de ne pas encore pouvoir trouver une émission expliquant comment fixer la mouche pour la pêche dans le fleuve Colorado durant les mois comportant dans leur nom un «r», pour les hommes aimant la couleur bleue. Ce n'est pas la *grosseur* de l'auditoire régulier mais sa *fidélité* qui importe au diffuseur.

La vague de groupes d'intérêts spécifiques qui se dessine actuellement peut-elle constituer un indice de notre capacité à la subdivision? La réponse est OUI. Nous formons des groupes

---

8. Néologisme combinant les mots fans (amateurs) et revues. Voir au glossaire. (N.D.T.)

pour vaincre l'isolement; des affiliations pour des raisons allant du personnel au politique. Les sectes religieuses et autres groupes marginaux prolifèrent: les groupements religieux enregistrés ont augmenté de 40 pour cent depuis dix ans, incluant les adeptes de la respiration (Breatharians) en Californie, qui croient que l'on peut vivre sans nourriture ni eau, et les chercheurs (Searchers) qui se réunissent sous forme de voyage hors-corps une fois par semaine. Les danseurs pour le désarmement, l'ordre fidèle et charitable des pessimistes, et l'association des cyclistes de foi chrétienne sont tous des groupes américains dûment enregistrés. Des groupes comme les Outremangeurs anonymes (OA), les femmes qui aiment trop, et les Enfants adultes de Parents alcooliques (EAPA) ont connu un tel succès qu'ils se sont transformés en courant dominant.

L'égonomie est également à l'œuvre dans le cas de produits et de services généraux répondant aux besoins précis de groupes d'identité. Les groupes fondés sur les «étapes» de la vie tels celui déjà mentionné des nouveaux parents d'âge mûr; les ex-Yuppies devenus PUPPIES[9] (pauvres urbains professionnels); les aînés financièrement aisés[10]; les enfants à clé (qui arrivent à la maison avant leurs parents qui travaillent); les adultes pris en sandwich entre le soin des enfants et le soin de leurs vieux parents; les écoliers disposant d'un revenu et d'un pouvoir d'achat[11]; les groupes fondés sur des intérêts particuliers comme les enfants de la planète (enfants très soucieux de l'environnement et très influents sur les achats de la famille), les adultes du nouvel âge santé (consommateurs d'abord et avant tout préoccupés de leur santé et de celle de la planète).

Voyons comment fonctionne l'égonomie sur la 7e Avenue, le centre américain de l'industrie de la mode. À ses débuts, nous avions baptisé l'égonomie «haute couture des masses» puisqu'elle consistait à donner au consommateur l'habillement sur mesure et les services personnalisés longtemps associés à la haute couture — dans laquelle chaque vêtement est conçu, ajusté et réajusté en fonction de l'individu. Le tout se présentant évidemment comme le travail d'un couturier unique. La

---

9. Voir l'acronyme PUPPY's au glossaire. YUPPY est l'acronyme désignant les jeunes urbains à double revenu professionnel. (N.D.T.)
10. Voir l'acronyme WOOF's au glossaire.
11. Voir l'acronyme SKIPPIE's au glossaire.

personne ainsi vêtue devient membre d'un *petit monde*[12] d'élite. Dans ces temps difficiles pour les détaillants américains et les maisons de couture, le succès étonnant d'une nouvelle entreprise comme DKNY[13] tient manifestement de son potentiel égonomique. Alors que le nombre de gens pouvant se permettre les vêtements Donna Karan est en fait très réduit (les amateurs de son raffinement sensuel paient 1000 dollars et plus par pièce), sa ligne DKNY de vêtements à prix plus abordables est accessible à un groupe beaucoup plus large de consommatrices. De fait, le signe DKNY audacieusement imprimé en travers de chaque vêtement indique que tous les T-shirts et vestons de denim relèvent du meilleur tissu et de la meilleure coupe en comparaison de ce qui se porte habituellement. Voilà un exemple très clair du phénomène «Je le porte, donc je suis quelqu'un qui apprécie l'excellence» propre à la couture de masse: l'égonomie.

Imaginez les possibilités d'une application très littérale de la tendance à l'égonomie en matière de mode vestimentaire. Vous allez au centre commercial, vous choisissez les composantes que vous recherchez dans une paire de jeans (poches rapportées ou insérées, avec ou sans poches à l'arrière, une taille ajustée ou «genre sac», ou tout autre type de tissu et de modèle). L'ordinateur-couturier prend vos mesures (à l'aide de rayons laser par exemple). Vous revenez une heure plus tard et pour la première fois de votre vie, vous avez une paire de jeans à votre goût en matière de modèle et d'ajustement.

Ce concept existe déjà pour les canapés, mais pas pour les jeans. Mes bons amis Ayse et Bob Kenmore possèdent dans l'ouest du pays une chaîne très lucrative de salles d'exposition de canapés portant le nom de Krause's Sofa Factory où vous pouvez choisir «cet accoudoir-ci», «ce dossier-là», «cette jupette-ci» et «ce tissu-là» de même que des dimensions personnalisées: «un canapé à votre goût». Le tout est rapide, abordable et égonomique. Ils proposent en outre de très jolis mini-canapés pour jeunes enfants et animaux favoris.

Prenons aussi l'exemple des chaussures belges — un article secret auquel se dévoue Lys, mon amie et ancienne associée. Me

---

12. En français dans le texte. (N.D.T.)
13. Donna Karan of New York.

rappelant un numéro, il y a plusieurs années, de l'émission *Satur-day Night Live* sur une boutique de rubans adhésifs («tout le monde en a besoin»), la boutique de chaussures belges située à Manhattan a des comptoirs pleins de souliers — essentiellement de même style. Ces souliers du genre mules se présentent dans un choix de douzaines de «variétés» (différentes sortes de cuir, de couleurs, de tissus, d'ornements ou de coupes). L'idée consiste à porter les chaussures à semelle souple durant environ une semaine, jusqu'à ce qu'elles «s'adaptent» aux pieds; les chaussures sont ensuite pourvues de semelles de caoutchouc. Personne n'achète une seule paire. C'est une forme de promotion interactive où le consommateur participe à l'ajustement des chaussures. Les chaussures belges constitueraient une très bonne affaire à l'échelle de la masse. Il y a encore beaucoup de place pour la couture dans le marché de la chaussure.

Voyons aussi l'égonomie dans l'industrie automobile. Pourquoi ne pas songer à des banquettes sur mesure pour les clients souffrant de maux de dos? Des boutons de commande sur mesure pour les gens aux jambes courtes ou à la vue imparfaite? Pourquoi ne pas personnaliser notre automobile au moyen des couleurs et des garnitures? Des toits coulissants pour l'hiver et l'été? Des voitures à chargement adapté — un coffre et une banquette arrière adaptés aux emplettes ou destinés aux jardiniers? Un modèle sûr et confortable pour les familles avec jeunes enfants — avec un bouton d'urgence relié à la police locale (où que vous soyez).

Au Japon, une filiale de la méga-compagnie Matsushita fabrique des bicyclettes sur mesure sous la marque Panasonic — des créations uniques obtenues lorsqu'on remplace les techniques de production de masse par une production plus flexible. C'est un système qui place le consommateur et ses besoins en début de ligne plutôt qu'à la fin, après la production. Les mesures corporelles du consommateur sont entrées dans un ordinateur qui dessine les plans pour établir des directives de haute technologie guidant chaque étape du processus de fabrication: cela prend un total de trois heures contre les quatre-vingt-dix minutes qu'exige la production de masse d'une bicyclette. Générant de grandes marges de profit, la fierté des travailleurs et la satisfaction des consommateurs, ce processus de fabrication sur mesure relève d'un très bon marketing. Pourquoi ne pas le généraliser? Les gens voudront acheter les produits faits sur mesure.

L'industrie des produits cosmétiques a déjà pris la voie de l'égonomie, avec des produits aux mélanges personnalisés (Prescriptives) en fonction du teint spécifique de la cliente et des trousses de création de votre propre parfum (Perfumer's Workshop). D'autres possibilités existent également: des produits cosmétiques en fonction de l'âge, du caractère, de la saison. Les gens achèteront les produits conçus en fonction de leur personnalité. Personne ne le sait mieux que Louis Licari du Licari Color Group, qui fait la navette entre New York et Los Angeles. Il a d'abord étudié les arts appliqués pour ensuite consacrer ses talents à la teinture de cheveux. («Envisagez-la comme un *produit de beauté personnel*», dit Louis.) Chaque personne est traitée comme une œuvre originale — et en a l'apparence. Il travaille avec plus de mille nuances de blond, les mélangeant pour obtenir une teinte d'aspect naturel.

Qu'en est-il des divertissements? À l'heure actuelle, une compagnie du nom de Personics offre des cassettes audio personnalisées: il suffit de choisir les chansons que l'on désire entendre ou offrir lors d'une occasion spéciale. Des chansons d'amour pour la Saint-Valentin, des chansons d'anniversaire, des chansons pour la fête des Pères.

Il existe des croisières ou des vacances sur mesure — camps de tennis, de baseball, ou d'escalade; des croisières de lecture, des visites axées sur l'histoire ou la littérature de pays étrangers; des journées de thalassothérapie. Certains services publient à l'avance les horaires des stations de télé en fonction des préférences de chacun. Sans compter l'appareil vidéo que l'on peut préprogrammer pour enregistrer ce qui nous intéresse: tous les films de science-fiction antérieurs à 1966 ou les championnats de tennis. Le secteur des divertissements n'en demeure pas moins largement ouvert à l'égonomie.

La construction domiciliaire est encore une industrie farouchement convaincue de la préséance du fournisseur sur le consommateur. Pourquoi les armoires et les comptoirs de cuisine sont-ils toujours à la même hauteur alors que les personnes qui les utilisent sont de taille variable? Pourquoi les cuisinières électriques et les réfrigérateurs, à l'exception des marques de toute première qualité, ne sont-ils pas davantage faits sur mesure? Pourquoi existe-t-il encore si peu d'articles pour les personnes gauchères? Pourquoi? Parce que des changements de cette nature semblent trop compliqués. Parce que les entreprises commerciales persistent à donner préséance à leurs priorités plutôt qu'à celles de leur clientèle.

Les gens voudront bientôt une température ambiante à leur convenance. Une compagnie des Pays-Bas possède la technologie capable d'offrir le choix d'une température tropicale dans la salle de bain et une climatisation automnale dans la salle de séjour. Voilà qui laisse entrevoir la possibilité de températures diverses à l'intérieur des trains et des automobiles ou que la température d'une automobile soit plus fraîche sur la banquette avant (pour stimuler le conducteur) et plus chaude sur la banquette arrière (pour un confort maximal pour les enfants).

Nous sommes à l'aube de l'an 2000 et nous cherchons encore à nous adapter à la technologie.

La technologie ne serait-elle pas maintenant suffisamment au point pour s'adapter à nous?

Cinquième tendance

Le départ monnayé

Arrêtez les années quatre-vingt-dix, je veux débarquer.

Si l'aventure fantastique augmente le rythme cardiaque, le départ monnayé, lui, est la tendance à ralentir le rythme cardiaque et à ranimer l'âme à bout de souffle. Il ne s'agit pas de se défiler, de décrocher ou de tout vendre. Il s'agit d'encaisser les jetons amassés au cours de toutes ces années et de partir travailler à ce qui nous plaît et de la manière qui nous plaît.

Il y a probablement dans votre entourage une personne qui a connu une ascension rapide, du genre fonceur — un agent de courtage à *Wall Street* ou un président-directeur général — qui tout à coup (semble-t-il) laisse sa mallette dans le panier réservé au courrier extérieur et refait surface quelque temps plus tard, le sourire aux lèvres, fabriquant du fromage de chèvre à la campagne, dirigeant un journal local ou tenant un hôtel ranch dans un lieu reculé, dirigeant un groupe de militants écologistes à quelques coins de rue de ses anciens quartiers, ou encore rédigeant, à dix pas de son lit, un bulletin pour les amateurs de guitare classique.

Après une décennie de cupidité, après des années de voyagement entre le travail et la banlieue, les gens rêvent de rénover d'anciennes demeures, de fonder des entreprises sur le tas, ou simplement de faire le métier à la base de leur carrière — mais à leur propre rythme et selon leur propre vision. Nous nous questionnons sur ce qui est vrai, honnête, de qualité, valorisé et important. Nous troquons les récompenses de la réussite traditionnelle contre un rythme plus lent et une meilleure qualité de vie. (En 1983, la moitié de la population américaine souhaitait qu'on accorde moins d'importance à l'argent. En 1989, ce sont les trois quarts de la population qui le souhaitaient, selon *Research Alert*. Lors d'un sondage effectué par *USA Today* en 1989, 74 pour cent des hommes affirmèrent qu'ils préféreraient une carrière au ralenti afin de consacrer plus de temps à leur famille.) Au cours des années soixante-dix, nous travaillions pour vivre. Dans les années quatre-vingt, nous vivions pour travailler. Ce que nous voulons maintenant, c'est simplement vivre: longtemps et bien. Le départ monnayé est devenu le moyen d'y parvenir.

Pourquoi maintenant plutôt qu'à une autre époque de notre histoire? La première réponse évidente est l'analyse des coûts/bénéfices sur le plan psychique. Le rythme de la vie s'est accéléré. La mise de départ a augmenté. La réussite professionnelle traditionnelle exige des efforts extraordinaires et épuisants. Il semble que nous nous demandions si tout ce stress vaut vraiment la récompense ou si ce genre de vie que nous menons n'est pas en train d'abréger notre existence. La question favorite de notre époque est: «Ma vie se résume-t-elle à cela?» À cette incitation déjà puissante de tout laisser tomber s'ajoute notre perte de confiance en la bienveillance des grandes institutions. Nous ne croyons plus à la bonté foncière de notre gouvernement. Nous ne faisons pas confiance aux «entreprises paternalistes», et avec raison. Elles n'ont pas respecté l'exigence à la base de la relation: la promesse d'une sécurité en échange de la fidélité au poste. Nous sommes mis à pied à mesure que les entreprises sont achetées et vendues comme des propriétés au Monopoly. On sabre dans le secteur de la santé et des autres avantages sociaux. La méfiance classique envers la gestion s'est peu à peu transformée en méfiance envers les gestionnaires eux-mêmes. Plutôt que de faire la révolution, nous envisageons le repli. Loin du bureau froid, stérile et aliénant; de retour à la chaleur accueillante du cocon: le travail à la maison grâce à la technologie moderne.

LE DÉPART MONNAYÉ VERS LE COCON

Ce qui a d'abord fait sortir les gens du foyer pour aller travailler, ce sont les usines; les travailleurs allaient vers l'outillage comme des esclaves aux machines. Par la suite, quand l'âge de l'informatique a remplacé celui de la révolution industrielle, le bureau a remplacé l'usine. Les travailleurs allaient travailler où l'on traitait l'information: la gestion, l'équipement de bureau et les dossiers chargés d'informations. Le lieu de travail était dépositaire de l'information. Avec l'apparition de la puce électronique, la réalité est fort différente. L'information a été décentralisée. L'ordinateur personnel, le modem, le télécopieur, le téléphone cellulaire ont tous contribué à rendre l'information disponible instantanément, où que l'on soit. On peut avoir une très bonne imprimante laser à la maison. Chacun des membres de la famille peut avoir son propre répondeur téléphonique. Qu'irait-on faire au bureau?

De nos jours, il y a environ seize millions d'employés d'entreprises qui travaillent à la maison, que ce soit à temps plein ou à temps partiel. Ce travail s'effectue dans l'ensemble après les heures de bureau et selon des arrangements informels, même si 3,4 millions de travailleurs ont conclu des arrangements formels avec leur employeur. (L'«horaire flexible» et la flexibilité caractéristique du travail à la maison deviennent maintenant les nouveaux avantages accordés par les entreprises à leurs meilleurs employés.) Ajoutez à cela les quelque 10 millions d'Américains qui travaillent à leur compte et vous obtenez une armée stupéfiante de 26 millions de travailleurs à domicile — presque 25 pour cent de l'ensemble de la main-d'œuvre américaine! (Nous surveillons depuis plusieurs années cette tendance, la percevant au début comme un phénomène propre aux femmes et l'ayant baptisé «retour au foyer». En 1988, plus de 70 pour cent des entreprises à domicile étaient dirigées par des femmes. De plus en plus, les hommes viennent maintenant agrandir les rangs des travailleurs à domicile.)

Que penser des arguments des opposants à l'effet que «la vie de groupe» vaut autant la peine d'aller travailler à l'extérieur que le salaire? Que l'effort de groupe est absolument nécessaire au progrès et à la réussite? Je répondrais que cette vision des choses est péniblement bornée. Nous ne parlons pas d'une simple séparation de l'employé et du bureau mais, avec le temps, d'une transformation complète de la structure du travail. Grâce au télé-écran, les équipes de travail de l'avenir pourront encore se rencontrer pour des réunions ou des dîners d'affaires et bavarder autour d'un café. Les sièges sociaux des entreprises, quoique plus réduits, survivront probablement pour fournir aux groupes de travail des bureaux et des salles de conférences, de grands centres de réunion pour des «rallyes» annuels ou semi-annuels, de même que des centres de loisirs pour favoriser l'esprit d'entreprise. Des secrétaires itinérantes pourront assurer un contact quotidien.

En fait, on pourrait créer dans tous les quartiers un centre de bureaux doté d'un distributeur d'eau réfrigérée et offrant des services et des fournitures de bureaux à grande échelle (portés au compte de votre entreprise) et aménagé sur le modèle d'un club. Les entreprises évalueraient leurs employés de la même manière qu'aujourd'hui, en fonction de leur productivité. Pour les entrepreneurs privés, de petites entreprises locales seraient créées pour offrir des services secondaires. Les entreprises spécialisées se rapprocheraient physiquement de leur clientèle spécifique. La dernière nouveauté dans l'immeuble serait la maison-bureau acquise après le départ monnayé.

LE DÉPART MONNAYÉ VERS LA CAMPAGNE

Voilà un rêve aussi vieux que l'Amérique: donnez-moi un bout de terrain qui m'appartienne et une petite ville où chacun m'appelle par mon nom. C'est un rêve qui nous tenaille avec plus d'intensité que jamais. À part le romantisme de la campagne, c'est la promesse de la sécurité, du confort et des valeurs traditionnelles que nous recherchons. Fuir les masses étrangères de la ville et se retrouver en famille, avec des amis et des commerçants qui nous reconnaissent en nous voyant et qui soient des relations plutôt que de simples ressources.

À défaut d'un déménagement concret, on se tourne vers la deuxième meilleure solution. Le camping sauvage gagne en popularité — il est passé de 8,7 millions d'adeptes en 1988 à 11,4 millions en 1990. Jusqu'au jardinage intérieur qui donne l'impression d'un départ à la campagne et qui représente une industrie florissante de haute technologie des années quatre-vingt-dix. Plus de quatre-vingts millions d'Américains se livrent à l'ornithologie! Mais rien ne bat le «vrai» déménagement. Les gros bonnets apprennent l'agriculture. Des couples citadins ouvrent des gîtes ruraux. (Malgré l'importance de la mise de fonds initiale, les problèmes de gestion et les profits relativement maigres, le nombre de gîtes ruraux s'ouvrant un peu partout dans le pays monte en flèche: près de 12 000 en 1989 alors qu'il y en avait à peine 2 000 dix ans plus tôt.) Deux copains de New York ont déménagé verrous, entrepôt et marchandise pour fonder une compagnie rurale fabriquant du linge de maison exclusif de qualité européenne. Une fois par mois, un énorme camion dix-huit roues livre du tissu européen à leur grange; des couturières locales en sortent des créations qui se vendent ensuite à prix élevé dans les villes.

Qui n'a pas un ami qui a tout monnayé pour partir à la campagne? Peut-être vous-même l'avez-vous fait ou y avez-vous rêvé. Cela représente une qualité de vie, de bonnes écoles et une sécurité pour les enfants, plus d'espace pour grandir, de l'air plus

pur. Au cours de la dernière décennie, l'argent était le seul facteur considéré. Mais d'autres questions concernant les valeurs
pèsent désormais plus lourd dans la balance. C'est maintenant le
temps d'échanger la BMW (mauvais service et image de *yuppie*)
pour une Ford Explorer (fabriquée aux États-Unis et au moteur
moins compliqué). Si nous ne pouvons nous monnayer un départ
à la campagne, nous désirons au moins vivre comme si nous
l'avions fait.

LE DÉPART MONNAYÉ INDIRECT

Nous voulons inclure les valeurs des petites villes dans la vie qui nous retient encore dans les grandes villes. Nous portons des chemises de flanelle et des bottes d'excursion et regardons l'émission *The Victory Garden*. Nous écoutons la musique country à la radio et dansons des quadrilles dans les centres de loisirs où jamais pareille chose ne s'est produite. Nous achetons des livres de recettes de «cuisine campagnarde». C'est en nombre record que nous retournons fréquenter l'église. (À un moment ou un autre, près des deux tiers de la génération d'après-guerre avaient délaissé la religion institutionnalisée. Au cours des dernières années, plus du tiers des décrocheurs sont revenus à la pratique religieuse. Environ 57 pour cent des Américains de l'après-guerre — 143 millions de personnes — fréquentent actuellement l'église ou la synagogue.) Nous nous joignons à des associations comme The Slow Food Foundation (la fondation pour une lente ingestion des aliments), dont l'objectif est d'apprendre à déguster et à savourer la nourriture. Moyennant une cotisation de 55 dollars, les membres de vingt-six pays (dix sections aux États-Unis seulement) reçoivent des bulletins d'information et une épinglette d'argent représentant l'escargot, mascotte du groupe. Nous commandons des «vêtements de jardinage» à partir du catalogue de Smith & Hawken (une tenue qui remplacera bientôt la tenue de jogging au premier rang de la mode américaine). Nous décorons nos demeures urbaines ou banlieusardes comme si nous étions des colons ou des gens de la petite noblesse de la campagne anglaise.

Il y a par ailleurs un phénomène extraordinaire que nous avons remarqué dans la tendance au départ monnayé indirect: un nouveau type de héros américain issu de la sagesse rurale, élevant les expressions de dégoût au rang des manifestations principales d'attachement à sa culture. Nous l'avons d'abord observé dans l'apparition d'un nouveau type de commentaire: la familiarité de Garrison Keillor à la radio et le franc-parler typique de Kansas City de Calvin Trillin dans le journal *The New Yorker* de même que dans ses livres. Cela a rapidement pris l'ampleur d'un mouvement populaire que nous avons baptisé «la folklorisation de l'Amérique»: on considère géniales les valeurs simples associées à la mentalité des petites villes et à l'attitude «ne faites pas de manières avec moi».

Observez l'énorme succès des tournées et des livres de Robert Fulghum, d'abord avec son livre *All I Really Need to Know I Learned in Kindergarten*[14], de même que l'écoute quasi dévote de la voix douce et rassurante de John Bradshaw qui invite les adultes dégoûtés du monde à redécouvrir leur enfant intérieur dans son livre à succès *Homecoming*[15]. À la télé, nous nous sentons collectivement très proches de gens aussi charmants et aussi simples que Willard Scott, Charles Osgood et Charles Kuralt. Les intellectuels d'un salon littéraire sur Park Avenue ont unanimement choisi Mark Twain à titre d'auteur de la saison. Nous voulons absolument que la vie soit simple et sans façon, qu'elle soit claire et compréhensible. C'est une des principales motivations du départ monnayé.

Quels seront les gens qui resteront dans la structure traditionnelle des entreprises commerciales? Qui sait? Probablement les gens les plus craintifs et les plus mesquins. Le gouvernement ne se réjouira sans doute pas d'une telle menace à l'Amérique des affaires. Il prétendra que le départ monnayé à grande échelle est le moyen le plus sûr d'affaiblir l'Amérique puisqu'il n'y a pas de grandes nations reposant économiquement sur de petites entreprises. Il aura tort. Personne ne travaille avec plus d'acharnement et d'entrain que les gens à leur compte. Le mouvement de départ monnayé ne signifiera rien d'autre que la décentralisation économique de l'Amérique — et c'est tant mieux.

D'autres générations ont jadis quitté les sentiers battus au nom de la liberté. Nous abandonnons nos vies — sur un plan métaphorique — pour en reprendre le contrôle. Fuir le chaos et l'incertitude ressentie par bon nombre d'entre nous en tant que marionnettes de l'Amérique des affaires. En fait, le départ monnayé fournit peu de liberté *réelle* et peu de loisirs. Être entrepreneur signifie plus de travail et une incertitude de nature différente. En bout de ligne, c'est toutefois le grand idéal d'autosuffisance, prôné par Emerson, qui en est la récompense. Idéal durement gagné.

---

14. *Tout ce dont j'avais vraiment besoin, je l'ai appris à la maternelle.*
15. *Retrouver l'enfant en soi.*

Le retour en enfance

«D'accord pour le gris.» New York Times *1980*

Nous contestons les démarcations biologiques de l'âge et retraçons la ligne qui sépare la jeunesse de la maturité. 1986

Une génération entière de personnes vieillissantes redevient un enfant gaffeur. 1991

Le fait nous est tombé dessus comme une tuile: en 1986, les premiers enfants du baby-boom atteignaient l'âge de quarante ans. *USA Today* détermina ensuite la date du 20 juillet 1988 comme le jour où le nombre de gens âgés de trente-cinq à cinquante-neuf ans surpasserait le nombre des dix-huit à trente-quatre ans pour la première fois depuis les années cinquante. En 1989, Jackie Onassis célébra son soixantième anniversaire. Certes, aucun de ces événements n'était imprévisible ou ne créa de grosse surprise statistique; mais l'âge mûr d'une génération qui avait jadis juré, comme James Dean, de mourir jeune, ne pouvait faire autrement que provoquer des remous. C'était (et c'est encore) une transformation culturelle que nous avons suivie depuis un certain temps. Non pas tant d'un point de vue démographique — quoique les chiffres soient renversants. (En 1988, 76 millions d'individus avaient quarante-cinq ans ou plus — 31 pour cent de la population et un pourcentage qui augmente rapidement. Le nombre d'Américains de plus de soixante-cinq ans excède la population entière du Canada. À ce moment précis, l'association américaine des personnes retraitées représente un cinquième de l'électorat américain.) Comme d'habitude, c'est d'un point de vue psychographique et comportemental que nous avons étudié le changement.

Ce que nous avions prédit (et que l'on constate actuellement), c'est une réinterprétation du vieillissement, une sorte de dé-vieillissement de chaque couche de la société. La vedette Cher a eu 45 ans en 1991. Tous âgés de plus de 40 ans, les Rolling Stones et les Grateful Dead continuent de «faire du rock et de… rouler». La revue *People* nomme Sean Connery «l'homme vivant le plus séduisant». Joan Collins, dans la cinquantaine avancée, et Paul Newman, à plus de soixante-cinq ans, jouent les rôles des plus séduisants des sex-symbols. Personne ne doute qu'Elizabeth Taylor soit amoureuse à son âge. De tous les coureurs ayant terminé la course du marathon de New York, plus de 10 000 (soit 42 pour cent) avaient plus de quarante ans, dont 56 avaient plus de soixante-dix ans et le plus âgé avait quatre-vingt-onze ans.

Nous voyons une augmentation du nombre de femmes de plus de trente ans — et même plus de quarante ans — qui se marient pour la première fois (réfutant la prédiction sinistre de la revue *Newsweek* à l'effet qu'une femme de quarante ans risque davantage d'être abattue par un terroriste que de trouver un mari). On observe de plus l'augmentation du nombre des femmes ayant leur premier enfant après l'âge de quarante ans. Les vœux de maternité de la journaliste Connie Chung, à quarante-quatre ans, faisaient la couverture de la revue *People* avec le titre «Je désire avoir un enfant».

Ce refus de se plier aux limites traditionnelles de l'âge est la tendance que nous appelons le vieillissement à rebours: une redéfinition du comportement convenant à un âge donné. Un phénomène profond et nouveau dans la culture: c'est plus que le résultat d'un souci sans précédent de santé et de longévité — et même plus qu'un courage issu des chiffres (les gens vieillissants de l'après-guerre représentent environ un tiers de la population). Nous le considérons comme une réaction psychosentimentale collective, en quelque sorte alimentée par une certaine arrogance du nouvel âge.

La même génération d'après-guerre qui avait déjà dit: «ne faites confiance à personne de plus de trente ans» dit maintenant avec autant de conviction: «la vie commence à quarante ans». Quel que soit l'âge de cette génération, *cet* âge sera toujours le seul qui compte. Vieillir, c'est devenir meilleur. Nous voulons quand même nous sentir en super forme et en avoir l'air, malgré les changements inévitables. Les Américains dépensent 2 milliards de dollars par année pour des produits contre le vieillissement. Quarante pour cent des femmes âgées de vingt-cinq à quarante-trois ans teignent leurs cheveux, dans la majorité des cas, c'est pour en masquer le gris. Les ventes de Retin-A ont, paraît-il, passé de 20 millions à 60 millions de dollars en 1990. Plus d'un million d'Américains ont subi une chirurgie plastique faciale en 1988, une augmentation de 17 pour cent en deux ans.

Certains changements dus à l'âge seront bientôt perçus comme des prix honorifiques. On considérait auparavant comme «distingués» les cheveux gris d'un *homme*; ceux d'une femme étaient «ternes», «mornes» ou «vieux». Barbara Bush tirait une grande distinction de sa chevelure blanche élégante. Les beautés célèbres se vantent plus qu'elles ne mentent au sujet de leur âge. Je prédis, pour la prochaine décennie, que la femme ordinaire sera beaucoup moins anxieuse de vieillir et moins réticente à révéler son âge. C'est la personnalité qui aura de l'importance. Si vous planifiez secrètement un *lifting* à cinquante ans, vous chercherez probablement un médecin qui laisse quelques rides. Les lignes de caractère sont des signes d'expérience et elles auront beaucoup de valeur au cours des prochaines années.

Ajoutons à l'arrogance du nouvel âge, un sens très aigu de leur mérite (la génération vieillissante du baby-boom a grandi en période de paix et de prospérité relatives, habituée à être traitée comme une clientèle exigeante) et nous pouvons prévoir le développement d'énormes possibilités sur le marché.

Ce nouveau consommateur ne s'excusera pas des changements propres au vieillissement et ne les supportera pas facilement. Attendez-vous à une croissance énorme dans la technologie corrective de l'ouïe et de la vue. Nous verrons apparaître un nouveau marché de soins dentaires à domicile sous forme de trousses de nettoyage et de réparation en plus de produits prévenant les maladies des gencives. De nouveaux produits seront en outre commercialisés pour améliorer la dextérité et les habiletés manuelles.

Le marché des soins de la peau, sous l'impact d'une recherche accélérée vers une technologie anti-vieillissement, connaîtra un regain de vitalité. Présentement à l'étude: des crèmes anti-vieillissement contenant le nouveau filtre solaire Photoplex, une formule améliorée qui bloque presque tous les rayons UVB (en grande partie responsables des brûlures, des rides et du cancer de la peau) et 70 pour cent des rayons UVA (contribuant, entre autres, à l'affaissement de la peau). Il y a aussi Nayad, une formule à base de levure qui stimule, semble-t-il, le système immunitaire de la peau pour aider à contrecarrer les dommages causés par le soleil, l'affaissement et les rides. La compagnie Shiseido a établi à Tokyo un nouvel institut de recherches sur la peau au coût de 29 millions de dollars, dont l'objectif officiel est la mise au point, d'ici sept ans, d'un véritable médicament anti-vieillissement pour la peau. Ou que dire des produits stimulant le cerveau? La nimodopine, conçue pour améliorer la circulation sanguine des cardiaques, peut stimuler la mémoire des cerveaux vieillissants. Quant au Deprenyl, un anti-dépresseur très efficace, il s'avère prometteur dans le traitement de la maladie d'Alzheimer. On l'a qualifié de «psycho-énergiseur» (en Europe, il est populaire en tant qu'aphrodisiaque). Il y a déjà des indices à l'effet que le Deprenyl pourrait prolonger de quinze à vingt ans la durée de la vie! Qu'est-ce qui empêche alors les compagnies pharmaceutiques de concevoir une chose aussi simple qu'une boîte de pilules plus facile à ouvrir et des étiquettes plus facilement lisibles pour les gens âgés?

Le premier aspect du vieillissement à rebours touche la redéfinition de l'idée de l'âge: avoir quarante ans est maintenant ce qu'était jadis avoir trente ans, avoir cinquante ans est maintenant ce qu'était jadis avoir quarante ans et soixante-cinq ans est désormais le début de la seconde moitié de la vie plutôt que le début de la fin. Mais le côté tranchant de la tendance actuelle — et son côté vraiment *amusant* — n'est pas tant une redéfinition à rebours qu'une sorte de coupe élargie — du genre «voyons jusqu'où nous pouvons reculer». Quel est l'âge le plus amusant? Que diriez-vous d'avoir toujours six ans! C'est l'impulsion profonde à redevenir des enfants — une négation partielle des tracas de la maturité pour retourner à une époque plus simple où tous, nous jouions et pouffions de rire. Seul le vieillissement à rebours peut expliquer la présence du Dr Seuss sur la liste des livres les plus vendus, *trois* films en une seule saison où un enfant et un adulte échangent leur corps (incluant le film populaire intitulé *Big* et mettant en vedette Tom Hanks dans le rôle d'un préadolescent), et toute cette publicité prétendant que les biscuits Oreo et la barre de chocolat Snickers, que les céréales Frosted Flakes et la boisson Kool-Aid vous font renouer avec l'enfant que vous étiez.

L'arrogance de l'époque et la force du nombre alimentent le courage de retourner en enfance — autant, franchise oblige, qu'un profond besoin de rire. Nous nous transformons, aussi souvent que nous le pouvons, en grands enfants bouffons. Et quel soulagement pour nous!

À mon dîner d'anniversaire au mois de mai cette année, ma sœur Mechele apporta des figurines de caoutchouc ridicules de la grosseur d'un cube de glace, que l'on presse afin de les remplir d'eau. Nous étions tous là, en grande tenue dans un très chic restaurant à la mode, face à des figurines de caoutchouc barbotant dans nos verres. À un certain moment, un ami remplit sa figurine d'eau minérale et arrosa son voisin de table — qui en fit autant, jusqu'à ce que nous soyons tous arrosés. Ensuite, un long jet mal dirigé tomba accidentellement sur les convives de la table voisine. Horrifiés, nous restâmes tous les dix sous le choc — pour ensuite éclater d'un fou rire. De manière assez surprenante, les victimes en firent autant et un peu plus tard, le serveur aussi. On aurait dit que personne d'entre nous n'avait ri depuis très, très longtemps. Nous retournions en enfance, nous comportant comme de grands enfants espiègles.

Nous sommes si habitués au stress et à l'anxiété qu'il y a peu de place pour le rire. Pour compenser, pour retourner en enfance, nous nous sommes amusés à préparer une de nos trousses-tendances[16] populaires dont le thème est l'humour et l'avons bourrée de gags «ridicules»: une petite boîte noire qui «profère des jurons»; un cochon qui «grogne» chaque fois que l'on ouvre le réfrigérateur; le livre de l'humoriste Jackie Mason et l'encyclopédie du mauvais goût.

Notre pays cherche à s'amuser. Le retour en enfance constitue le pont grâce auquel nous — adultes de tous âges — essayons de relier l'enfance insouciante dont nous nous souvenons (ou du moins l'enfance insouciante dont nous sommes *supposés* nous souvenir, au dire des médias) à la maturité pas toujours drôle qui est notre lot actuel. Nous dormons avec nos oursons en peluche; nous achetons pour nos enfants (disons-nous) les jeux de société auxquels nous jouions lorsque nous étions enfants (Monopoly et Clue); nous admettons volontiers aimer autant qu'eux le Nintendo (34 pour cent des utilisateurs du Nintendo et

---

16. Voir au glossaire.

95 pour cent des téléspectateurs de l'émission *The Simpsons* sont des adultes). La moitié du marché des déguisements d'Halloween s'adresse maintenant aux adultes, contre 10 pour cent il y a à peine dix ans. L'émission de radio la plus populaire est *Golden Oldies* — le nombre de stations radiophoniques faisant tourner les disques d'Elvis, des Supremes, des Platters et de Lesley Gore a gonflé de 20 pour cent en un an. Il y a dans tout cela une valeur non équivoque de nostalgie mais le retour en enfance est plus que de la simple nostalgie. Nous partons en réalité à la recherche de la promesse et de l'espoir de l'enfance. Les générations précédentes traçaient une ligne nette entre les plaisirs, quêtes et achats appropriés à l'enfance et ceux propres à la maturité. Peut-on concevoir Ward Cleaver, le père de Beaver, en train de sucer un Popsicle? Les adultes d'aujourd'hui sont en train de retracer la ligne. Nous mangeons des friandises glacées si cela nous chante ou alors nous en mangeons la version haut de gamme, sous forme de barre Dove.

Les adultes vont pour leur propre plaisir à Disney World et chez F.A.O. Schwarz (ou à leur magasin préféré de jouets pour adultes comme The Sharper Image). Nous attachons beaucoup d'importance au divertissement: nous allons plus souvent au cinéma (la clientèle de plus de quarante ans a augmenté de 14 pour cent en 1989), nous nous rendons dans des camps spécialement conçus pour l'amusement des adultes (un camp de jazz au Vermont, un camp «mission spatiale simulée» en Alabama). Nous dépensons actuellement plus d'argent pour le divertissement que pour l'habillement (247 milliards de dollars en 1988). L'un des objets favoris des adultes en mal d'enfance est un livre de John Javna intitulé *Cool Tricks! A Grown-Up's Guide to All the Neat Things You Never Learned to Do as a Kid*[17] qui vous apprend à «promener le chien» avec votre yo-yo et à fabriquer des avions en papier, entre autres. Tout comme les autres tendances à la fuite, le retour en enfance a son côté noir: la peur du consommateur face aux véritables menaces pesant sur la sécurité et la prospérité de l'avenir. L'enfant terrifié à l'intérieur de l'adulte ne peut promettre à ses propres enfants que le monde dans lequel ils grandiront sera réconfortant et encourageant, disposant

---

17. Tours cool! un guide pour adultes de toutes les belles choses que vous n'avez pas apprises à faire quand vous étiez enfant. (N.D.T.)

des moyens nécessaires ne serait-ce que pour maintenir le *statu quo* pour la prochaine génération. L'enfant terrifié à l'intérieur de l'adulte ne peut promettre à ses parents vieillissants qu'il aura suffisamment de santé, de prospérité et de sagesse pour s'occuper adéquatement d'eux à mesure qu'ils vieilliront et s'affaibliront. L'enfant terrifié à l'intérieur de l'adulte se préoccupe en outre de sa propre vieillesse. La plus grande préoccupation matérielle des gens âgés de trente-cinq à quarante-neuf ans est d'avoir suffisamment d'argent pour la retraite. La génération du baby-boom craint — à juste titre — que l'aide sociale ne dispose plus des fonds nécessaires à subvenir à ses besoins quand viendra la retraite. Elle craint que la FDIC[18] ne protège pas vraiment ses économies à la banque. Elle craint que la situation mondiale soit si problématique que l'on ne puisse tout simplement pas trouver de solution. (La solution consistant à affronter les problèmes en posant des gestes constructifs constitue une autre tendance étudiée plus loin.)

Grâce au retour en enfance, nous nous disons à nous-mêmes, ne serait-ce que durant vingt ou soixante minutes par jour: «Si je refuse catégoriquement de grandir, quelqu'un d'autre devra jouer le rôle de l'adulte. Quelqu'un d'autre s'occupera de tout. Les *vrais* adultes ont le contrôle et comme je ne crois pas que j'en ai, je ne suis sûrement pas un vrai adulte. Je suis un enfant!» Voilà qui permet de se couvrir la tête avec un sac de papier, de faire des bruits d'animaux et d'ignorer les problèmes... c'est le retour en enfance.

Quelle en est la signification pour les agents de marketing? Cela veut dire qu'en pensant au nouveau consommateur, il faut se souvenir de l'enfant intérieur qui accompagne chaque adulte dans toutes ses emplettes: des besoins d'adulte en même temps qu'un manque de contrôle propre à l'enfance. Des désirs adultes en même temps qu'un besoin enfantin d'insouciance. Une perception adulte du monde sur un fond de nostalgie et d'envie de se faire dire que le monde est toujours un endroit merveilleux. Il y a des possibilités de profit pour presque tout ce qui peut assurer qu'on se sente mieux, qu'on s'amuse, qu'on se sente comme un enfant. La chose *certaine* pour les agents de

---

18. Federal Deposit Insurance Company (compagnie fédérale d'assurance des dépôts).

marketing est la suivante: cette génération vieillira en se ven-
geant plus élégamment, en mettant plus d'énergie qu'aucune autre génération précédente à contrer le vieillissement et les sentiments qu'il génère.

Elle dépensera plus d'argent que jamais pour ce faire.

Septième tendance

Rester en vie

Faites ce qu'il faut et vous ne mourrez jamais.

Quand nous parlons de rester en vie — la tendance représentant notre quête frénétique de santé —, nous n'évoquons rien de moins que le nouveau rêve américain. Jadis, nous cherchions le bonheur — une quête qui a poussé les populations de tous les coins du monde à chercher bonheur-soleil-et-or sur toutes les rives. Tout cela reposait sur la fervente croyance qu'une chance d'une vie meilleure existait quelque part ou de quelque manière.

Quel est aujourd'hui notre flambeau? Une quête généralisée — non seulement d'une vie meilleure, mais d'une vie meilleure, plus heureuse et plus *longue*. Quelqu'un, quelque part, doit bien avoir le secret de la prévention de la maladie, du vieillissement, et même de la mort — il suffit de s'y mettre, de trouver le bon spécialiste et de faire ce qu'il faut.

Ce super-positivisme recouvre un négativisme inégalé. Nous avons par exemple férocement confiance dans le pouvoir des spécialistes — mais quel est le spécialiste que nous écoutons? Au fond, nous croyons qu'il ne faut faire confiance à *aucun* spécialiste. Nous gobons quotidiennement les nouvelles connaissances alimentaires — nous ouvrant l'esprit (quand ce n'est pas la bouche) à une croyance quasi religieuse aux pouvoirs curatifs de la nourriture et du régime. Nous sommes d'autre part convaincus que les aliments que nous mangeons nous tuent.

Nos pommes sont empoisonnées! Ce magnifique poulet sans gras contient de la salmonelle! Ce poisson que nous mangeons au lieu du steak gras a passé sa courte vie à nager dans les BPC, le DDT et autres cauchemars de l'EPA[19] — une soupe de nouveaux produits toxiques qu'il nous faut connaître et craindre. Une enquête nationale effectuée en 1990 démontra que 87 pour cent d'entre nous redoutaient que la pollution de nos approvisionnements d'eau nous rende malades. Notre *eau*! Plusieurs d'entre nous ont l'impression surréaliste que toute notre alimentation, à commencer par ce que nos mères nous donnaient à manger, a été une forme insidieuse et prolongée d'empoisonnement.

Et tandis que nous faisons plus d'exercice que jamais, il faut désormais mettre l'exercice dans la liste des choses dont il faut se méfier. Courir trop vite, trop longtemps et avec trop d'efforts peut endommager les genoux et les tibias; sans compter que l'on considère aujourd'hui l'exercice intensif comme une assuétude semblable au tabagisme, à la toxicomanie ou à la dépendance affective. Au moment même où j'écris ces lignes, j'ai sous les yeux un numéro de la revue *Self* présentant un avertissement sur les dangers de «dépendance à l'exercice» — s'agit-il d'une habitude saine ou d'une obsession maladive?

La crainte de la maladie est une phobie collective de notre culture — et nous sommes inondés d'informations à l'effet qu'elle est plutôt justifiée. La peste moderne se nomme sida, avec toute son horreur et ses conséquences tragiques. Malgré notre désir de longévité, nous savons pertinemment que plus nous vivrons longtemps, plus nous serons vulnérables à l'une ou l'autre des maladies meurtrières contemporaines. «De quoi périrai-je?» nous demandons-nous. D'emphysème, de cancer ou de maladie cardiaque? Et nous sentons de plus en plus clairement que nous y sommes pour quelque chose.

Nous croyons aujourd'hui, à tout le moins dans notre for intérieur, que la maladie ne résulte pas simplement d'un malheureux caprice du hasard ou du bagage génétique, mais souvent de la manière dont nous avons choisi de vivre. Notre manière de manger, de faire de l'exercice, de contrôler le stress... l'endroit où nous choisissons de vivre, ce que nous choisissons de faire... si nous avons ou non la force de caractère de nous remettre d'aplomb par la pensée positive. Un thème fréquent parmi les cancéreux: «Qu'est-ce que j'ai fait de mal? Comment me suis-je attiré cela?»

---

19. EPA: agence de protection de l'environnement aux États-Unis. (N.D.T.)

Ajoutez à cela une perte de confiance face aux ressources médicales traditionnelles aux États-Unis (ou face à ce qu'est devenue la médecine américaine traditionnelle) et nous commençons à nous sentir très seuls, perdus dans un monde d'expertise, d'opinions, de recherches et d'avis contradictoires. De nouvelles menaces réelles sans aide véritable. C'est devenu un cliché de critiquer le médecin américain qui ne vient plus à votre chevet. Mais considérez ce que le médecin américain doit affronter! Des coûts astronomiques d'assurances couvrant les négligences professionnelles et un environnement contesté qui le force à pratiquer une médecine défensive. Des agences fédérales et des compagnies d'assurances qui remettent sans cesse en question ses décisions — allant jusqu'à décider non pas seulement de la manière de traiter un patient mais aussi des patients qui bénéficieront de ses soins (qui sera admis à l'hôpital et pour quelle durée).

Le consommateur de soins médicaux est en outre de plus en plus dégoûté des compagnies d'assurance médicale — qu'il paie durant des années sans réelle certitude que la compagnie, elle, paiera quand il le faudra, quand sa vie sera en jeu. (Attendez-vous à une révolte véritable de la clientèle à ce propos: les compagnies d'assurances risquent de devenir les nouveaux méchants. Une occasion en or pour se présenter comme «la bonne» compagnie d'assurances.) La suprématie de la science — cette icône du monde moderne — est remise en question. Notre recherche médicale est la plus avancée du monde mais combien d'entre nous peuvent se payer les traitements de pointe ou même y avoir accès? Et qu'en est-il de la *nature*? La science ne nous a-t-elle pas trop éloignés de notre moi «naturel»? N'y aurait-il pas moyen de nous réconcilier avec ce dernier?

Tout cela contribue à une toute nouvelle perception de la santé de notre manière de vivre et d'envisager la mort. La force motrice de la tendance à rester en vie est une prise de conscience collective et plus ou moins réticente qu'il nous faut en fin de compte nous prendre en main. Personne ne le fera à notre place. Chaque individu est seul dans son corps et en conserve l'ultime responsabilité.

L'avenir est à la prise en charge personnelle de la santé.

La bonne nouvelle est que le fait de reprendre notre responsabilité individuelle signifie que nous n'en serons plus réduits à la seule opinion d'un spécialiste ou à une seule école de pensée. Nous avons retrouvé un certain élément de contrôle. Nous deve-

nons nos propres enquêteurs, nous prenons nos propres décisions et sommes nos propres spécialistes. Nous confrontons
l'avis du médecin de famille à celui d'un homéopathe, d'un ré-
flexologue ou d'un nutritionniste. Nous faisons des concessions
mutuelles selon les résultats des recherches les plus récentes:
une étude démontre que les femmes qui boivent modérément
(entre trois et neuf verres par semaine) ont moins d'attaques et
de problèmes cardiaques; une autre indique que l'ingestion mo-
dérée d'alcool augmente les risques de cancer du sein. *Chaque*
problème de santé semble présenter ce genre de dilemme sinistre. Nous pouvons du moins nous dire que nous avons regagné
quelque contrôle, un certain pouvoir de choisir un type de mort
plutôt qu'un autre.

Nous repensons nos sources d'approvisionnement alimentaire. Avec une eau polluée et un sol contaminé aux pesticides —
pour ne pas parler des plantes contaminées elles aussi — les
produits frais sont maintenant autant contestés que les aliments
usinés. Les produits organiques ne sont plus marginaux; ils constituent un courant majeur. Un sondage Harris de 1990 démontrait
que 19 pour cent des gens interrogés avaient acheté pour la première fois des produits organiques et qu'en l'espace d'une *seule*
année (1991), 30 pour cent avaient modifié leurs habitudes alimentaires à cause des informations et des inquiétudes au sujet
des pesticides. Une enquête montrait que 84 pour cent des
Américains préfèrent les aliments organiques aux produits de
culture traditionnelle. (Mais 1 pour cent seulement des terres
agricoles américaines sont cultivées de manière organique.)

Bientôt, la norme de santé et de fiabilité ne sera plus la culture agricole mais la culture en laboratoire: des produits cultivés
hydroponiquement dans des conditions «contrôlées clinique-
ment». (Déjà un supermarché — le Fiesta Mart à Webster, au
Texas — possède un jardin hydroponique de 3 000 mètres^2 dans
sa section de produits maraîchers.) Les normes d'engraissage du
bétail — ainsi que les manipulations génétiques — sont déjà en
train de modifier à la baisse le taux de gras du bœuf. Peut-on
penser que la manipulation génétique cherchant à créer de nouvelles espèces animales soit loin derrière? Nous pourrions bientôt
aller nous-mêmes chercher notre poisson, allant de la crevette,
du homard et de la langouste au tilapia — dans des centres de
pisciculture dont l'approvisionnement d'eau est contrôlé. Atten-

dez-vous à ce que la viande, le poisson et la volaille portent des étiquettes indiquant leur élevage: l'endroit d'élevage (incluant la qualité du sol et de l'eau), les façons dont ils furent nourris et traités. Il est possible que les conditions de laboratoire soient bientôt les seules qui soient fiables.

Les aliments créés axés sur la santé sont les aliments de l'avenir. Nous assistons déjà à des changements étonnants: non seulement l'industrie complète des aliments à faible teneur calorique (on estime que le marché des aliments et boissons diètes atteindra 49,6 milliards de dollars en 1994), mais aussi de toutes nouvelles combinaisons comme le chocolat au lait fluoré réduisant la carie dentaire chez les enfants et le fromage sans cholestérol. Et que dire des aliments créés de toutes pièces — tel le gras sans gras (Olestra de Procter & Gamble, Simplesse de NutraSweet)! En préparation actuellement: des œufs dépourvus de cholestérol, des légumes biologiques contenant autant de protéines que la viande (mais sans gras), des grains de café naturels ne contenant pas de caféine.

Surveillez le changement de toute l'industrie alimentaire. Des aliments, prescrits en doses, feront partie de la médecine préventive. Les «alimaceutiques» brouilleront les frontières entre la thérapie médicamenteuse et l'alimentation; des quantités quotidiennes de soupes ou de boissons vous fourniront les doses prescrites de béta-carotène anti-oxydant ou les doses thérapeutiques de produits nutritifs prévenant les maladies, ou encore des substances euphorisantes. Des aliments pour se réveiller, pour se calmer, pour se donner du courage, pour retrouver le sens de l'humour. Pourquoi pas des biscuits composés d'herbes soulageant l'asthme, des desserts contenant des extraits bio-actifs guérissant les migraines ou la dépression? Au Japon, les ventes de «toniques vitaminés» montent en flèche. Il existe cent variétés de toniques en ampoules individuelles de 50 ml et destinés aux personnes fonceuses du type A qui ne prennent pas le temps de bien se nourrir ou de faire de l'exercice. Il y a en outre les «boissons à objectif» portant des noms comme «travail acharné» et «travail quotidien» composés d'ingrédients tels que: essence d'huître, vitamine C, glycogène et extrait de feuille de ginkgo.

Nous assisterons également à une personnalisation de notre régime alimentaire — sur une base quotidienne ou hebdomadaire, selon notre humeur et nos symptômes. Les repas familiaux peuvent-ils avoir un sens nutritif si personne ne mange la même chose au dîner? Les conseils en nutrition personnelle constituent le domaine dont l'expansion est la plus forte dans le secteur des services. («Mangez une tasse de haricots verts, deux cuillerées à soupe d'orge, prenez une bonne nuit de sommeil et rappelez-moi dans la matinée.») Les grandes entreprises alimentaires devront elles aussi s'en mêler en préparant des plats standard et en offrant un service téléphonique d'aide à la planification des repas: si vous avez mangé telle ou telle chose au petit déjeuner, voici les choix de produits pour le déjeuner et le dîner selon vos besoins personnels en matière de santé et d'humeur. Nous pouvons vous les livrer en l'espace d'une heure. Un nutritionniste personnel pour les masses. Les produits vendus sous forme de service.

Le marché des boissons alcoolisées redeviendra un marché de «spiritueux»: un petit coup de rhum pour le syndrome prémenstruel, du scotch pour une foulure de la cheville, du brandy pour la grippe. Les vieilles recettes de grand-mère réapparaîtront dans la mythologie postmoderne. Les boissons fortes à faible teneur en alcool seront très demandées et on peut même prévoir une sorte de boisson ne provoquant pas de gueule de bois, de dépendance ou de diminution du rendement. L'idéal pour les Américains vieillissants. Le psychopharmacien Ronald K. Siegel, dans son livre intitulé *Intoxication: Life in Pursuit of Artificial Paradise*[20] propose un effort collectif en vue de créer ce genre d'euphorisant inoffensif et paradisiaque.

Les changements dans les soins médicaux seront étonnants: le plus important d'entre eux sera évidemment que le patient se prendra en main. (On s'attend déjà à ce que les ventes des tests autodiagnostiques et des produits pour les soins de santé à des fins médicales *préventives* s'élèvent à 2,2 milliards de dollars en 1995.) La prise en charge personnelle de la santé ne sera pas seulement une réalité mais un droit légalement reconnu, une partie de la nouvelle fibre américaine. Les programmes de «bonne forme» sont de plus en plus reconnus comme étant vitaux pour l'avenir des entreprises commerciales, non pas seulement en raison des coûts monstrueux des soins de santé mais également au nom d'un «droit» des employés. La compagnie Quaker Oats donne

---

20. Intoxication: à la recherche d'un paradis artificiel. Traduction libre. (N.D.T.)

des primes aux employés qui se maintiennent en bonne santé; Sunbeam a implanté un cours prénatal obligatoire qui a réduit spectaculairement les coûts moyens des maternités.

La science médicale et les médecines alternatives traverseront les cultures comme jamais auparavant. L'homéopathie (consistant à guérir l'affection par une quantité infime de la «cause»); la réflexologie, l'acupression et l'acuponcture (le soignant mise sur les points réflexes, les points de pression et les «méridiens» de l'énergie corporelle pour guérir les maladies); le *biofeedback;* et la médecine holistique, auparavant des aspects marginaux de la médecine, se transformeront en courants majeurs. Il y aura même des approches de toute nouvelle appellation: l'aromathéraphie et l'herbologie, sans compter la médecine ayurvédique de l'antiquité hindoue (selon laquelle votre *prâkriti,* ou type physique, détermine l'approche holistique appropriée à votre santé) qui s'ajouteront aux traitements traditionnels et qui s'attireront une clientèle spécifique.

De nouveaux appareils de santé (comme le déstresseur, de la grosseur d'un baladeur Sony et qui émet de faibles ondes électriques calmant le cerveau) se vendront autant que les appareils populaires de divertissement: un déstresseur sur chaque tête et une machine de thérapie par la lumière dans toutes les salles de séjour. Tous les matins, nous franchirons un cadre de porte spécial qui surveillera notre poids, notre rythme cardiaque, notre température, notre pression sanguine et autres signes vitaux de première importance. Un signal d'alarme nous avertira lorsque nos signes vitaux seront inquiétants et nous pourrons déchiffrer sur un écran de santé le meilleur moyen d'y remédier.

Grâce aux nouvelles recherches sur les effets du soleil et de la lumière, nous verrons apparaître de toutes nouvelles industries destinées à nous protéger des rayons solaires ou à tirer un meilleur avantage des spectres lumineux. Imaginez-vous des consultants en éclairage vous recommandant des «environnements lumineux» ou prescrivant des «doses de lumière» à chaque membre de votre famille — conçus pour optimiser l'énergie de chacun, son humeur et sa santé. Les produits cosmétiques médicamenteux — «les cosmaceutiques» — constitueront le véritable avenir du marché du «bien-paraître» surclassant les crèmes protectrices et anti-rides d'aujourd'hui.

Les secteurs du divertissement et du tourisme seront de plus en plus obsédés par la santé et la longévité. Mieux que les cen-

tres de remise en forme, il y aura des gymnases d'énergie universelle, des «réunions» corps-esprit incluant des croisières thérapeutiques vous menant lentement à des endroits sains dans le
but de guérir votre corps, de toucher votre âme... et de vous ramener doublement béni.

De plus en plus, le vrai sens de la vie nous semble être l'amélioration de la qualité de la vie — et la vie commence bien sûr par
nos propres corps. Nous ne sommes probablement pas encore
prêts à admettre ouvertement que notre véritable objectif est de
vivre éternellement. Nous sommes néanmoins prêts à payer le
prix pour rester en vie.

HUITIÈME TENDANCE

Le consommateur averti

Nous sommes complètement furieux et nous n'en achèterons plus!

C'est une épopée qui fait naître la terreur au cœur de toutes les entreprises (ou du moins le devrait). Notre héroïne Tillie, autrefois consommatrice timide et naïve, se transforme en Attila et chasse les démons du supermarché et de tous les endroits du monde commercial: elle s'attaque à la supercherie, à la publicité trompeuse et à l'imposture avec toutes les armes dont elle dispose: son téléphone, sa machine à écrire et sa calculatrice toujours plus puissante. Essayez de vous remémorer l'époque où vous auriez trouvé ce scénario amusant. Ce ne l'est désormais plus. Le consommateur contre-attaque. Tillie-Attila, la consommatrice, c'est vous et moi.

Nous avons vu poindre cette tendance à des millions de kilomètres-consommateurs. Elle était inévitable: la génération contestataire est devenue, à l'âge adulte, la génération des superconsommateurs. Confrontés quotidiennement à la qualité minable, à l'Irresponsabilité et aux fausses prétentions, les consommateurs brandissent la bannière de la protestation contre «l'immoralité commerciale». C'est de l'injustice sociale trop près du foyer et elle engendre la nouvelle génération de contestataires: le consommateur averti.

Le mouvement a son propre porte-parole: Meryl Streep. La vedette de cinéma donne des conférences de presse pour alerter toutes les mères des dangers des pommes traitées à l'alar. (Quelques semaines plus tard, l'article principal de la revue *Newsweek* pose la question: «Jusqu'à quel point nos aliments sont-ils sans danger?» et cite la prédiction terrifiante du National Resources Defense Council[21] à l'effet que 6 000 Américains d'âge préscolaire risquent d'avoir un cancer provoqué par l'ingestion des résidus chimiques qui contaminent les produits américains, en particulier ceux trouvés dans les pommes traitées à l'alar. Les consommateurs font maintenant pression pour interdire l'alar.)

Ce mouvement possède sa mythologie moderne, ses histoi-res contemporaines de David et Goliath, personnifiés par des contestataires isolés tels Terry Rakolta, une «simple ménagère» qui entreprit seule une croisade et qui, grâce à une seule lettre persuada quatre grandes entreprises de retirer leurs annonces publicitaires de l'émission comique «*Married... With Children*[22].» Son accusation: les compagnies américaines profitaient du mau-vais goût (et l'encourageaient) en commanditant ce qu'elle, et présumément d'autres personnes, considéraient un thème inadéquat pour l'auditoire familial.

Un autre croisé, Phil Sokoloff, a ameuté l'opinion contre les huiles tropicales contenues dans les céréales et les biscuits. (Les huiles tropicales, quoique dérivées d'huiles végétales, contien-nent des graisses saturées et augmentent autant le taux de cho-lestérol que les produits animaux, de l'avis de plusieurs.) Qu'il s'agisse ou non d'un résultat direct, les principaux fabricants ont presque tous, sans exception, débarrassé leurs produits des hui-les tropicales. Les consommateurs américains peuvent mainte-nant acheter leurs friandises favorites, un peu moins nocives pour la santé, de marque Keebler, General Mills, Ralston Purina, Bor-den, Pillsbury, Quaker Oats, Pepperidge Farm, Kellogg et Sunshi-ne Biscuits — une situation tout à l'honneur des fabricants (et des consommateurs).

Le mouvement a par ailleurs ses incroyables retours: Ralph Nader, après avoir quitté le devant de la scène pendant un cer-tain temps (tout en n'abandonnant pas le combat) réapparaît avec une nouvelle fougue pour exprimer l'avis des citoyens sur les coûts élevés des assurances pour la maison et l'automobile. Le Sierra Club a lui aussi connu un nouvel essor: il fait beaucoup de bruit contre les contrevenants à l'environnement et sa liste de membres s'allonge à vue d'œil.

---

21. Conseil national pour la protection des ressources.
22. Mariée... avec enfants. Traduction libre. (N.D.T.)

La tendance à la consommation avertie a même donné naissance à son propre genre d'émissions télévisées. L'une des premières, Fight Back, se consacrait aux annonces publicitaires. David Horowitz, hôte de l'émission et défenseur du consommateur, soumettait les produits aux mêmes démonstrations que celles présentées dans les annonces publicitaires. Horowitz et ses assistants ont échappé des valises à partir de points très élevés; ils ont suspendu par une goutte de colle un travailleur de la construction portant un casque à une poutre d'édifice; ils ont nettoyé des fours pour voir si le coup d'éponge unique pouvait facilement être reproduit; ils ont vérifié la résistance des sacs à ordures et l'absorption du papier essuie-tout — provoquant du même coup la terreur chez les agences publicitaires ayant conçu ces pubs et chez les clients disséminés dans tout le pays. Horowitz félicitait les entreprises lorsque leurs annonces s'avéraient véridiques et fustigeait celles dont les annonces étaient fausses.

Dans la ville de New York, le poste de radio populaire CBS diffuse l'émission *Shame on You*[23], des actualités consacrées à la vengeance du consommateur. Le correspondant en chef Arnold Diaz, (cité dans le *Wall Street Journal*) déclare: «Je veux humilier publiquement les gens qui font d'horribles choses.» Ses cibles (choisies parmi les deux cents appels quotidiens à la ligne ouverte de l'émission) peuvent tout aussi bien être les supermarchés écoulant de la viande périmée que les escrocs de l'immobilier dépouillant les personnes âgées de leurs économies. Les victimes doivent remuer le doigt en l'air lors de l'interprétation du refrain de l'émission: «Shame shame shame shame on you». Cette formule appliquée aux émissions d'actualités remporte un énorme succès partout à travers le pays: *Herb's Dump* [25] de la station KIRO à Seattle, *Shame on You* de la station WCIX à Miami. Time Warner Inc. prépare une émission quotidienne intitulée *Getting Even*[26]. Phil Donahue et Oprah Winfrey continuent de s'échauffer avec des histoires de défense du consommateur. Tout cela finit par faire une clameur publique puissante, fort éloignée du temps où Betty Furness était l'unique voix à défendre les consommateurs dans la jungle des émissions télévisées.

---

23. *Quelle honte! Traduction libre.* (N.D.T.)
24. *Honte, honte, quelle honte! Traduction libre.* (N.D.T.)
25. *Herb et son dépotoir. Traduction libre.* (N.D.T.)
26. *Se venger. Traduction libre.* (N.D.T.)

C'est à la fin des années soixante-dix et au début des années quatre-vingt — avant qu'il ne s'agisse d'un véritable combat — que nous avons commencé à suivre ce nouveau comportement du consommateur. À cette époque, on s'intéressait à la qualité des produits essentiels. Nous avons vu apparaître un changement dans la manière d'acheter: on s'est mis à moins acheter mais à acheter la meilleure qualité, en suivant souvent les conseils d'institutions telles que *Consumer Reports*. Nous avons commencé à magasiner de manière un peu plus prudente. Nous avons appris à préférer la durée au clinquant et à la nouveauté. Les mots à la mode étaient: fiabilité, durabilité, facilité d'entretien et simplicité d'utilisation.

Les consommateurs ont commencé à effectuer leurs propres enquêtes, recherchant la qualité avant de faire leur choix. (C'est à cette époque que nous nous sommes tous mis à déchiffrer les étiquettes de façon acharnée.) Quelques années plus tard, cette consommation très laborieuse commença à provoquer de la colère. «Pourquoi les produits que j'achète ne sont-ils pas *tous* aussi bons qu'on le prétend?» «Pourquoi faut-il que je me tienne toujours sur mes *gardes*?» Ajoutez à cette poussée de colère quelques révélations fracassantes: la compagnie Nestlé fut accusée de provoquer la malnutrition des bébés (et même leur mort) avec sa nourriture pour bébé en poudre qu'elle avait commercialisée dans les pays du tiers monde. On trouva des pesticides mortels dans des grappes de raisins. On découvrit que la teinture pour cheveux Red Dye N°. 2 provoquait le cancer chez les rats. Les consommateurs devinrent vraiment furieux — à juste titre. («Ah, mais ils veulent vraiment ma peau!») Ils cherchaient la qualité du produit et découvraient ce qui semblait être une supercherie. Le cœur du problème devint une affaire de moralité plutôt que de qualité: les consommateurs commencèrent à crier publiquement aux entreprises: «Hé vous! Ne mentez pas! Ne trichez pas! Ne volez pas!» Nous étions à bout de patience. Notre colère devint combative. «Nous ne sommes pas des pantins», disions-nous *en masse*[27]. «Vous ne vous en tirerez plus comme cela!»

En raison de son pouvoir d'évocation, mon exemple favori pour parler de la clameur actuelle du consommateur averti est les exclamations que l'on entend dans les cinémas des Hamptons quand on nous présente des annonces publicitaires avant les

---

27. En français dans le texte. (N.D.T.)

films. Mes amis rapportent le même brouhaha partout dans le pays. À Durham, en Caroline du Nord, à Independence, au Missouri, à Seattle, dans l'État de Washington, et à Houston, au Texas. «Nous ne nous laisserons pas faire!» semble notre mot d'ordre. Considérez les résultats obtenus sur le marché américain à mesure que ces militants multiplient leurs cibles. Qu'ont fait les consommateurs avertis?

Plus de deux cents boycottages de produits de consommation sur lesquels vous pouvez vous informer dans la revue *National Boycott News*, «une revue nationale indépendante pour les consommateurs engagés socialement» publiée par l'Institute for Consumer Responsibility[28]. Le directeur, Todd Putnam, y rapporte les boycottages en cours et fournit une tribune aux répliques des fabricants. Raisins, jeans, essence, vins, poisson, lignes aériennes — il n'y a guère de produit à l'abri de la contestation du consommateur. La rage collective contre la compagnie Exxon pour son attitude irresponsable devant la marée noire en Alaska n'en a pas fait seulement l'une des principales cibles de boycottage mais son nom est devenu en soi synonyme de destruction irresponsable. «*Exxoning*[29]» fait maintenant partie du vocabulaire américain pour dire «faire un épouvantable gâchis».

Les groupes écologistes protestent contre les aérosols; des groupes comme MADD[30] travaillent en vue d'une responsabilisation accrue dans la vente des boissons alcoolisées pour débarrasser les routes des automobilistes en état d'ébriété; des groupes de voisins s'organisent même pour défendre les intérêts du voisinage (pas dans ma cour! — en est le cri de ralliement). À Greenwich Village, les résidents se sont insurgés contre l'idée d'un «poste d'embarcation de prisonniers» mis à quai sur le fleuve Hudson, à quelques pas d'une école primaire. Les boycottages ont été minutieusement réglés pour porter des coups politiques instantanés. On utilisa la contestation avec la précision d'un dard et la vitesse de l'éclair quand les groupes pro-choix de toute l'Amérique menacèrent de cesser d'acheter les pommes de terre de l'Idaho si le gouverneur de l'État signait une loi sévère contre l'avortement. (Il y a opposé son veto.)

---

28. L'institut pour la responsabilité du consommateur.
29. Agir comme la compagnie Exxon.
30. (Mothers Against Drunk Driving) Mères opposées à la conduite en état d'ébriété. (N.D.T.)

Même certaines contestations sont contestées. Quand la chanteuse country K.D. Lang, gagnante d'un trophée Grammy et militante pour les droits des animaux — apparut sur une affiche publicitaire intitulée «Meat stinks»[31] appuyée par People for the Ethical Treatment of Animals[32], elle déclencha son propre boycottage: les stations radiophoniques de musique country des États éleveurs de bétail refusèrent de faire tourner ses disques. Une station de Sioux Falls, au Dakota du Sud, distribuait des filets mignons chaque fois qu'elle faisait tourner un disque de cette chanteuse.

Les consommateurs hurlent et les entreprises de marketing intelligentes écoutent. Les histoires de réussite propulsent au rang de héros des consommateurs aussi bien que des entreprises. C'est là la leçon cruciale à tirer de la tendance au consommateur averti: ce n'est pas l'*erreur* d'une entreprise que le consommateur trouve impardonnable (en grande partie du moins), mais la réaction de l'entreprise face à la découverte de l'erreur. (L'idéal étant bien sûr qu'elle la découvre elle-même.)

Au cœur même de cette tendance se trouve le désir que les entreprises soient en quelque sorte plus *humaines*. Les consommateurs sont tout disposés, voire empressés, à dire que «n'importe qui peut se tromper... puisque vous n'êtes après tout qu'un être humain» — si l'entreprise réagit vraiment comme il se doit. Ce n'est pas tant «ce qui s'est passé» qui compte, mais si oui ou non on y remédie — de façon rapide, responsable et honnête.

Prenons deux cas réels quoique de nature fort différente. L'entreprise Tylenol fit face à de graves problèmes (sans faute aucune de sa part) lorsque des modifications criminelles de son produit provoquèrent des morts tragiques par empoisonnement. L'entreprise réagit de façon immédiate, franche et soucieuse du consommateur au point de se sacrifier elle-même. Le président parla franchement, sans essayer de maquiller les faits et fit plutôt retirer des tablettes le produit. Il collabora avec le FBI, paya le prix fort pour mettre au point un emballage à l'abri des manipulations. Le respect ne fut pas sa seule récompense — Tylenol gagna aussi la confiance et la fidélité des consommateurs. Elle fit des bonnes ventes.

---

31. La viande pue. Traduction libre. (N.D.T.)
32. Groupe prônant le traitement adéquat des animaux.

Comparez cette histoire au scandale Perrier. Lorsque des rapports laissèrent entendre que l'eau minérale pétillante était contaminée au benzène (même si l'on pouvait dire qu'il s'agissait de quantités insignifiantes), les journaux nous bombardèrent d'histoires contradictoires quant à la nature et à l'ampleur du problème. L'entreprise ne fournit aucune explication directe si bien que le petit problème s'enfla au point d'atteindre des proportions monstrueuses. Puis on apprit que les fameux pétillements de l'eau Perrier n'étaient pas le fait d'une effervescence naturelle propre à la fameuse source mais une simple gazéification réalisée en usine. Troisième prise: Barbara Walters révéla à la télévision nationale que la source de l'eau embouteillée sous étiquette Great Bear (une filiale de Perrier) n'était en fait qu'un coin marécageux du New Jersey. Trois prises, vous êtes retiré. Alors que Tylenol se sortit de temps difficiles en héros — avec de l'honnêteté et un souci réel du consommateur, Perrier perdit toute la confiance du consommateur et une grosse part de son marché.

L'histoire du consommateur averti en est une de grandes victoires et de grandes défaites. Comment les entreprises relèvent-elles le défi? En ne demandant jamais au consommateur ce qu'il désirait, Coca-Cola transgressa la règle fondamentale des relations avec le consommateur. Résultat? Le fiasco du Coke nouvelle formule. À l'honneur de Coke, elle rappliqua immédiatement avec le Coke classique — écoutant le consommateur et corrigeant la situation.

La compagnie Star-Kist d'abord et ensuite Chicken of the Sea tinrent compte des protestations des enfants et d'autres gens qui boycottaient le thon en boîte afin de sauver les dauphins capturés accidentellement dans les filets. Vous pouvez désormais acheter des boîtes de thon «sans danger pour les dauphins» (les consommateurs se sont montrés disposés à débourser un peu plus pour un procédé ne mettant pas les dauphins en danger) — un résultat heureux pour les enfants, les adultes, les dauphins et pour les entreprises concernées.

McDonald a bien réagi aux plaintes des consommateurs concernant les fluorocarbones contenus dans l'emballage — dont une campagne *anti-styrofoam* très bruyante organisée par le groupe écologiste Friends of the Earth (Amis de la Terre). Elle a d'abord accepté d'enlever et de recycler (pour éventuellement éliminer) le polystyrène des contenants et verres servant à garder les Big Macs chauds et les sodas froids. Kodak a également instauré une politique de recyclage pour ses appareils photo Fling.

Reebok a même retiré une pub télévisée montrant des sauteurs casse-cou de bungy s'élançant d'un pont: des téléspectateurs avaient téléphoné pour protester contre cette scène terrifiante. Un porte-parole de Reebok déclara que l'annonce fut retirée «dans le but de répondre au vœu des consommateurs». La compagnie R. J. Reynolds abandonna ses projets d'une marque nommée Uptown quand des militants révélèrent que la cigarette était destinée aux Noirs. Les consommateurs ont appris et les entreprises ont écouté.

Personne n'aime être dupé: Volvo, une entreprise très conventionnelle, a perdu la confiance des consommateurs en montrant dans l'une de ses pubs télévisées une Volvo renforcée remportant une compétition dans laquelle les autres modèles d'auto s'effondraient sous les roues d'un camion monstre, le tout devant une foule énorme. Une chose impardonnable aux yeux du consommateur averti.

Personne n'aime en outre être ignoré: l'exemple le plus extrême fut Audi qui ne tint pas compte des nombreuses plaintes au sujet d'une accélération soudaine et involontaire, ne prenant même pas la peine de faire une déclaration publique détaillée au sujet du danger supposément mortel de la défaillance. Jusqu'à ce que le problème ne devienne un peu trop public. Les souffrances réelles des consommateurs (indépendamment de la cause) coûtèrent à Audi sa réputation et ses ventes.

La leçon à en tirer: ne pas oublier que la relation entreprise-consommateur s'établit entre êtres humains. Respectez les consommateurs parce qu'ils savent ce qui se passe. Écoutez ce que veulent et disent les consommateurs. Dites-leur ce qu'ils ont besoin de savoir au moment où ils ont besoin de le savoir. Tenez compte des soucis et des désirs des consommateurs. Confrontée aux pressions du marché, une entreprise peut même s'apercevoir que le respect n'est pas seulement le meilleur comportement à adopter mais qu'il peut aussi s'avérer profitable.

Il y a une chose que j'appelle la «filière comique» et qui souligne de petits exemples subtils de sensibilité aux perceptions des consommateurs. Vous vous souvenez de toutes ces plaisanteries entendues à la télé au sujet des étiquettes des matelas et des avertissements à l'effet qu'enlever l'étiquette constituait un crime *grave*, passible d'une peine en vertu de la loi? Avez-vous lu une étiquette de matelas dernièrement? On peut maintenant y lire quelque chose comme: «Il est interdit à quiconque d'enlever cette étiquette, à l'exception du *consommateur.*» Ce n'est pas une réforme qui changera le monde, mais c'est un exemple que j'aime bien.

On se demande à quel point les plaisanteries concernant la nourriture offerte par les lignes aériennes ont contribué aux améliorations remarquées récemment: la compagnie United Airlines offre un repas à faible teneur calorique (quatre cents calories); Pan Am offre une «cuisine classe internationale» dont le menu varie de mets légers à une nourriture plus exotique, comme le thon cajun et le jambon au poivre. Les plats de la compagnie Swissair incluent des repas pour personnes ayant des problèmes de santé comme des maladies du foie ou des reins. Je suis particulièrement friande des biscuits aux brisures de chocolat cuits en plein vol par certaines entreprises aériennes — de la saveur, de l'arôme et du confort — du vrai *cocooning*!

Voici l'avenir en matière de consommation avertie: l'aura de puissance et d'omniscience des entreprises a été démythifiée. Pendant des années, les consommateurs n'ont pu voir les gens à la tête des grandes entreprises commerciales. Nous voulons désormais qu'ils rendent des comptes publiquement.

Les marchés se subdivisent en niches et les niches sont de plus en plus petites. À mesure que s'effectue cette miniaturisation du marché, les consommateurs gagnent en importance et ils le savent. Les entreprises devront agir rapidement — pour révolutionner l'emballage et la distribution; pour purifier leurs produits; pour rétablir des normes compatibles à celles des consommateurs.

La «nouveauté» ne sera plus un gage de vente — idée étonnante pour le marché américain. Nous avons eu du nouveau tout au long de notre vie. Le nouveau est maintenant de l'histoire ancienne. «Nouvelle formule améliorée» n'excite guère les consommateurs si ce n'est pour leur faire dire tout haut ce qu'ils se sont toujours demandé: «Pourquoi ne l'avez-vous pas bien fabriqué dès le début?»

Au cours de la prochaine décennie, c'est un sentiment de collaboration avec le marchand et l'impression d'acheter pour l'avenir qui nous inciteront à choisir un produit plutôt qu'un autre. La vente impersonnelle et anonyme de style K-mart est terminée.

Stew Leonard's, un supermarché animé de Norwalk, au Connecticut, déborde de signes de la personnalité de son propriétaire. Celui-ci a créé une atmosphère de notes et de mots personnels, de boîtes à suggestions, de noms des gérants, de descriptions d'employés, d'échantillons, de concours et de plaisir partout dans le magasin. Nous voulons acheter chez *quelqu'un*... quelqu'un à qui nous faisons confiance. La confiance sera au cœur de chaque achat.

Des garanties interactives pour des choses comme les appareils électroménagers, les chaînes stéréo, les équipements de bureau pour la maison et les caméras de haute définition seront bientôt télécopiées au fabricant à partir des points de vente. Les représentants des entreprises communiqueront avec les consommateurs pour s'assurer de leur satisfaction — quelques jours après l'achat. Des contacts plus nombreux entre la clientèle et l'entreprise. Ce sera en outre un autre moyen pour le fabricant de pénétrer le cocon-forteresse toujours plus impénétrable.

Les garanties auront de plus une signification élargie, dépassant le statut d'un bout de papier à balancer dans un tiroir. En cas de pépin, non seulement y aura-t-il une solution rapide, mais le concept de «auto de courtoisie» sera considéré comme un droit fondamental du consommateur — pour les téléphones, les télécopieurs domestiques, les ordinateurs et autres articles essentiels, au même titre que pour les autos.

Les conditions de remboursement ne nous pénaliseront plus si nous changeons d'idée. Les commandes par correspondance seront facilement réversibles; le client insatisfait n'aura qu'à retourner l'étiquette préadressée et à retourner le tout à un coût minime. (Une expérience récente: une commande postale de souliers de chez Roaman coûtait 13,45 $ pour une livraison rapide. Les souliers ne faisaient pas. J'ai appelé à leur numéro sans frais pour les retours et l'on m'a débité ceci: «Emballez-les et apportez-les au bureau de poste.» Des efforts supplémentaires — 3,80 $ pour l'expédition d'un colis — un total de 17,25 $ pour essayer une paire de souliers.)

Il n'y aura pas de pardon pour les mégasociétés se cachant derrière d'énormes structures commerciales compliquées. Les étiquettes prendront plus d'importance que jamais. Nous voudrons connaître (comme Big Brother du livre *Le meilleur des mondes*) l'histoire du produit et les valeurs morales du fabricant.

Nous voudrons connaître le point de vue de l'entreprise en matière d'environnement, des expériences sur des animaux, des droits de la personne et autres problèmes — au lieu d'une simple liste d'ingrédients ou d'un coup d'œil à une image. Bien visibles sur l'étiquette, les numéros de téléphone sans frais pour joindre l'entreprise, feront partie de notre vie.

Anita Roddick du Body Shop a bâti son empire florissant sur un principe axé sur «faire le bien» qui incluait des politiques de sauvegarde de l'environnement, d'anti-cruauté envers les animaux et de «commerce plutôt qu'assistance» pour les projets dans des endroits éloignés. Dans toutes les catégories de produits, la première entreprise à mettre sur pied ces progrès prendra la tête et forcera ses compétiteurs à faire de même. À l'ère de la dictature du consommateur averti, aucune entreprise ne peut se permettre de ne pas écouter. Aucune entreprise ne peut se permettre de faire de mauvais choix.

Vies multiples

«Tu dois courir le plus vite possible pour rester au même endroit. Si tu veux aller ailleurs, tu dois courir au moins deux fois plus vite que cela!»
dit la Reine.
Alice au Pays des Merveilles

La liberté de choix semblait une si bonne idée! Des possibilités infinies! La permission d'être qui l'on veut! C'était l'expression ultime de la vie américaine avec cependant la différence typique des années quatre-vingt. Nous avons cessé de penser que: «je peux choisir *n'importe quel* genre de vie» pour finir par nous dire: «je peux vivre *tous* les genres de vie». Et le dire en se vantant: oui, nous *pouvons* tout faire. Chacun est *Superman* ou *Wonderwoman.*

Nous avons vécu les années quatre-vingt comme un peuple frénétique — télécopieur et téléphone en main, espadrilles aux pieds, nourrisson au sein (dans certains cas). Soutenus par quelque folle ambition: être autant de personnes que nous le pouvions. Très fiers de nos personnalités multiples. Nous avons remis en question la notion même du temps, quand ce n'était pas les limites de l'*énergie.*

Cela vous dit quelque chose? Quel adulte de nos jours ne connaît pas la sensation des vies multiples?

Certes, nous ne sommes pas responsables de *tout* ce qui nous arrive.

En 1990, il y avait plus de 20 millions de jeunes de dix-huit à trente-quatre ans vivant chez l'un ou les deux parents. Qui paie l'hypothèque? Qui prépare les repas? Combien de fois la mère doit-elle tenir le rôle de «maman» quand les enfants reviennent vivre à la maison? Que se passe-t-il avec tous les enfants lorsqu'il y a un second ou un troisième mariage? Combien faut-il alors de chambres à coucher?

Il y a ensuite le problème des emplois multiples. Il y a d'une part ceux d'entre nous qui se portent *volontaires* pour vivre les vies multiples exigées par les emplois multiples: des gens travaillent deux fois plus pour faire progresser leur carrière ou par ambition personnelle, et ceux qui entreprennent de front deux carrières (ou plus) par pur enthousiasme. Il y a d'autre part ceux d'entre nous dont la situation financière oblige purement et simplement au double emploi. (En mai 1989, 7,2 millions d'individus avaient plus d'un emploi, un hausse de 1,5 million depuis 1985.) L'arithmétique de la vie était autrefois beaucoup plus simple: un emploi par famille, un mariage, une maison, une communauté pour toute la vie, une seule lignée d'enfants. Ces statistiques ne cessent aujourd'hui de se multiplier (quel est *votre* coefficient de frénésie?). Nous nous démenons pour maintenir la cadence. Nous nous démenons pour suivre la marche. Pas étonnant que la théorie du chaos soit la théorie la plus populaire des mathématiques contemporaines.

Nous avons en outre d'autres croisades à mener. Rester jeunes, retrouver la forme, vivre sainement. Nous devons nous accomplir et triompher du doute de soi. Nous faire des amis et influencer les gens. Devenir riches, brillants, nous distinguer des autres. Accumuler les jouets et les trophées, les preuves que nous avons vécu. Sauver la planète et nous sauver nous-mêmes. Mettre à l'essai la théorie voulant que rien n'est impossible. Tant d'objectifs et si peu de temps pour les réaliser!

Le seul poids de l'information est un élément provoquant d'énormes vagues. Cela rend la vie incroyablement (et en quelque sorte insidieusement) plus compliquée: il faut plus d'une vie pour venir à bout des données d'une vie. (R. S. Wurman dit dans son livre intitulé *Information Anxiety* que la quantité d'informations *double* maintenant tous les cinq ans.) Regardons les choses en face: nous n'avons jamais été aussi affairés — tenant tous nos rôles, voulant réaliser tous nos rêves, informatisant toutes nos données — vivant nos vies multiples. Et nous n'avons jamais vécu aussi *vite* — ne serait-ce que pour réussir à tout terminer.

Le temps. «Quelle belle idée!» clame la voix des années quatre-vingt-dix. Ce n'est pas simplement que nous n'avons pas *assez* de temps. C'est comme si le temps lui-même s'était en fait *accéléré*. Immédiatement veut vraiment dire immédiatement — sans possibilité d'arrêt pour respirer. Prenons un exemple: nous avons assisté *en direct,* grâce à la télé, aux événements de la guerre du golfe Persique — commençant par ce qui semblait être une présentation brillante de feux d'artifices. Il n'y a pas de *délai de temps*. Notre propre ministre de la défense admettait recevoir bon nombre de ses «renseignements» par le biais de CNN en même temps que le reste de la population. Cela modifia notre perception du temps, redoubla notre charge de stress.

La «vitesse de la technologie» nous présente les faits de la vie plus vite que nous ne pouvons les assimiler. Et la technologie en matière d'information ne fait pas seulement rendre l'information accessible à tous en tout temps — elle *nous* rend également accessibles à l'information. Nous sommes littéralement «en direct» la plupart du temps. Nulle part où se réfugier, nulle part où se cacher. Nous transportons nos téléphones. Le quart des foyers américains sont dotés de téléphones sans fil (plus de 9 millions vendus seulement en 1989); 3,5 millions d'entre nous ont des téléphones dans l'auto. (La compagnie Hertz a l'intention d'installer 45 000 téléphones dans les autos d'ici 1995. La compagnie Avis les offre également.) Nous avons même des téléphones cellulaires dans les porte-documents. (À vrai dire, je ne pourrais plus me passer de mon Mitsubishi 3000.) En plus de cette accessibilité instantanée, nous avons les répondeurs téléphoniques et le renvoi d'appels/la mise en attente. Il n'y a tout simplement pas de raison de ne pas joindre quelqu'un. Le seul cocon à l'abri des appels est l'avion en plein vol — et je m'attends à tout moment à un changement de ce côté-là.

Voyez le changement de temps provoqué par le télécopieur pour l'envoi de nos *écrits* — et même de nos griffonnages les plus intimes — partout dans le monde à la vitesse de l'onde électronique. Nous télécopions à un tel rythme — pour envoyer des lettres, pour remplacer des appels téléphoniques, pour magasiner, pour commander des plats, pour jouer à des jeux pyramidaux, pour répondre aux questionnaires des revues, pour réclamer nos airs favoris à la radio, pour entretenir nos relations d'affaires — que la production mondiale de papier à télécopieur ne fournit pas. (La consommation de papier thermosensible pour télécopieur augmente plus rapidement que la capacité de production, l'entreprise International Resource Development Inc. prévoit de fortes augmentations des prix et quelques pénuries à venir.)

Des délais plus rapides, certes, mais nous avons perdu cette belle excuse pour gagner du temps: «Je l'ai posté.» Nous avons perdu ces petits sursis dont nous jouissions d'ordinaire en attendant que les informations se rendent d'un endroit à l'autre. Ces mêmes progrès électroniques que nous apprécions pour le temps *gagné* sont si rapides et si voraces qu'ils nous *volent* notre temps. Ils contribuent au syndrome de l'accélération qui nous fait perdre le sens du temps humain.

Quel est donc l'antidote au stress des vies multiples? C'est le *cocooning*, l'aventure fantastique, les petites gâteries ou le départ monnayé — ou bien c'est ce salut adapté à nos vies multiples que nous appelons rationalisation. Fini le temps où nous voulions un peu plus de tout. C'est une diminution que nous voulons maintenant. De moins en moins de choses. Plusieurs d'entre nous n'enregistrent jamais d'émissions télévisées pour les raisons suivantes: 1. Il faudrait déchiffrer l'obscur manuel d'instructions. 2. Il faudrait apprendre à programmer le magnétoscope. 3. Nous n'avons de toute manière pas le temps de regarder les émissions enregistrées. Nous implorons la grosse pendule du ciel: «Donne-moi *moins* de choix, beaucoup moins de choix. Facilite-moi l'existence. Fais que je tire le maximum de ma matière première la plus précieuse — les minutes mêmes de mon existence.»

L'entreprise qui vend les calendriers Week-at-a-Glance a brillamment étiré le temps en 1990, avec une application directe des vies multiples. Jusqu'alors, ils avaient divisé le temps d'une journée en grilles de rendez-vous commençant à 8 h. Mais depuis cette année-là, leurs grilles horaires commencent à 7 h. Voilà une entreprise qui a donné à sa clientèle ce qu'elle voulait: plus de temps. Même si vous n'avez jamais utilisé la grille de 7 h ou que vous l'aviez destinée au sommeil, il y a un facteur de sensibilisation à l'œuvre: en additionnant toutes les heures supplémentaires, leur calendrier de l'année 1990 vous a donné deux semaines de plus que l'année précédente, deux semaines de plus que les calendriers des compétiteurs commençant à 8 h. Ahurissant.

Nous assistons même à une certaine rationalisation dans le domaine des arts. Il existe maintenant un genre littéraire appelé «fiction-éclair». Des nouvelles de deux ou trois pages, parfois une seule page, écrites par des auteurs comme Diane Williams et Melinda Davis.

Les Américains ont rationalisé instinctivement une activité essentielle de survie qui prenait beaucoup de temps: l'alimentation. Nous sommes devenus un peuple de grignoteurs, mangeant plusieurs petites *bouchées* tout au long de la journée en remplacement des trois heures consacrées traditionnellement aux repas.

Les gens sautent des repas et mangent des biscottes. (Les ventes d'amuse-gueule salés ont augmenté de 5,1 pour cent en 1987, pour atteindre plus de 8 milliards de dollars.) Même les repas pris en groupe et pour lesquels nous prenons le temps de nous asseoir sont d'une manière ou d'une autre préparés en vitesse: dès 1987, le four à micro-ondes avait déjà surpassé le lave-vaisselle à titre d'appareil électroménager acheté le plus couramment (qui aurait d'ailleurs l'idée d'utiliser de la vaisselle pour grignoter?). En 1989, nous avons dépensé 900 millions de dollars en produits préparés pour le micro-ondes et ce chiffre devrait atteindre 3 milliards d'ici 1991. La cuisine la plus rapide est celle préparée par quelqu'un d'autre: livraisons à domicile, plats à emporter ou prêts-à-manger (même si, à notre époque d'ingestion rapide considérée comme un art, le terme prêt-à-manger semble désespérément désuet). Selon un sondage Gallup, près de la moitié des 86 pour cent d'Américains dînant à la maison sur semaine mangent des plats précuisinés, des plats à emporter ou des plats livrés à domicile. (Les spécialistes prédisent que les achats de plats à emporter tripleront la proportion de l'ensemble des dépenses alimentaires.) À Stamford, au Connecticut, vous pouvez acheter des plats préparés professionnellement et préemballés pour le micro-ondes, dans un camion garé à proximité de la gare ferroviaire. L'entreprise s'appelle: «Hi Honey, I'm Home»[33]. Fax Grande Cuisine, à Elmsford, dans l'État de New York, prend des commandes que les banlieusards n'ont qu'à ramasser à la gare de banlieue sur leur chemin du retour. Jusqu'à la géante General Mills qui fait l'essai de repas préparés à emporter: Bringers, une ligne de plats de style bistro, est actuellement à l'essai dans certains quartiers de Minneapolis.

---

33. Bonjour chérie, je suis de retour. Traduction libre. (N.D.T.)

Le prêt-à-manger des années quatre-vingt-dix sera encore plus rapide. Que dire de la machine distributrice de pizzas qui présente une pizza après une simple pression de quelques touches? Insérez la monnaie, choisissez des garnitures et la machine à pizza rapide vous livre votre pizza par four convoyeur en l'espace de trois minutes et demie. Il y a en une à Disneyland. Ou que dire de la Touch 2000? Faites votre commande à partir d'un menu à pression digitale et un micro-ordinateur IBM transmet la commande aux cuisines et à la caisse. Le restaurant Carl's Jr. à Azusa, en Californie, possède ce système. À Paris, vous pouvez même acheter votre baguette fraîche dans des machines distributrices installées à 350 endroits!

Ce que nous attendons et espérons, c'est une accélération du rendement des appareils électroménagers. Les restaurants peuvent nettoyer à la vapeur des montagnes de plats, verres et couverts en l'espace de huit minutes. Pourquoi faut-il à nos lave-vaisselle une heure de consommation d'énergie (et de bruit) pour accomplir cette tâche? Et que dire des laveuses et sécheuses à linge.

Le mot de passe de la rationalisation pour les années quatre-vingt-dix sera *multifonctions*. Des appareils pouvant faire deux ou trois choses en même temps ou qui vous permettent d'accomplir plus qu'une seule tâche à la fois. La meilleure idée est la *commercialisation en grappe*. Pourquoi nous faudrait-il faire un saut chez le nettoyeur à sec, un autre chez le tailleur, un troisième chez le cordonnier et ainsi de suite? La commercialisation en grappe peut rassembler tous ces services — un seul arrêt pour tout cela, à l'exemple d'un service de stationnement (pour laisser et rapporter l'auto) ou d'un kiosque installé au rez-de-chaussée des édifices à bureaux.

Pourquoi ne pas en fait offrir davantage de services à l'intérieur même des bureaux? Des repas gastronomiques offerts sur les chariots à café vers 17 h — des repas parfaits pour vous et votre famille. Ou des fleurs le vendredi? Il pourrait aussi y avoir des salles de repos du genre cocon (souvenez-vous que les salles d'exercice semblaient à l'époque aussi peu probables) où les manucures, les coiffeurs, les tailleurs et les détaillants pourraient se présenter à l'heure du repas afin de rationaliser notre temps.

Espresso Dental, à Seattle, est un triomphe de multifonctionnement: la première combinaison au monde d'un bureau de dentiste, d'un comptoir espresso et d'une salle de massage. D'un seul coup, le temps de loisirs et l'hygiène dentaire se retrouvent dans la même grille horaire! À New York, Video Town Laundrette possède, à part ses appareils de laverie, une salle de bronzage, une bicyclette d'exercice, une photocopieuse et un télécopieur en plus de 6 000 titres de cassettes vidéo à louer. (Elle sert aussi du maïs soufflé aux grignoteurs.) BrainWash, à San Francisco, est un café/laverie servant des repas à la clientèle du voisinage composée d'artistes et de poètes. McDonald fait l'essai du concept des McExtras, soit l'achat de produits essentiels (lait, œufs, pain, etc.) combinés à l'achat de Big Macs au comptoir ou au service à l'auto. Cette idée de multifonctions peut constituer une occasion en or pour les firmes de marchandises forfaitaires: comment combiner les profits de deux (ou trois) de vos produits en un seul.

Le service rapide est un autre secteur en expansion. On peut déjà se procurer des timbres, des billets de transport en commun et même des certificats cadeaux pour des centres commerciaux (sans compter la monnaie) auprès de distributeurs automatiques dispersés partout dans le pays. Press Box News, une firme de Lancaster, en Pennsylvanie, vend maintenant des franchises de son service matinal de vente de journaux à l'auto: vous pouvez vous procurer les journaux quotidiens, le café et les cigarettes sans même sortir de l'auto. Pourquoi ne pas multiplier ces comptoirs d'achats sur le pouce? Le marché de la 6e Rue à Richmond, en Virginie, offre la possibilité d'acheter par télécopieur: vous télécopiez votre liste d'emplettes, des employés effectuent les achats, les portent à votre carte de crédit et en font la livraison le lendemain. (Pourquoi pas la journée même?)

À part le service rapide, pourquoi pas une amélioration générale du service? Donnez-nous la possibilité de déléguer les responsabilités de l'une ou l'autre de nos innombrables vies. Non seulement une amélioration et une multiplication des services de garde d'enfants, mais autant d'amélioration et de multiplication des soins aux personnes âgées. Des services aux parents peut-être? Davantage de services pour le soin des animaux de compagnie: à part les promener et les garder pendant les vacances, pourquoi pas des services de toilette, d'alimentation et de conseils sur le comportement, de même que des soins mineurs de vétérinaire, le tout réuni en un seul service personnalisé? Il existe des services locaux d'entrepreneurs offrant de l'aide pour l'accomplissement de tâches dites «féminines»: l'achat de ca-

deaux, la planification d'une fête, les emplettes d'épicerie à plusieurs endroits, l'approvisionnement du garde-manger, le ménage du printemps, le choix d'une garde-robe — et même le choix
de la peinture et l'attente des réparateurs. Pourquoi pas une franchise nationale à l'exemple de Roto-Rooter?

Et pourquoi pas des éditeurs d'informations? J'en constate
déjà les débuts ici et là: MovieFone, un service téléphonique
interactif doté d'un répertoire enregistré des théâtres, des films et
des heures des spectacles pour réduire la planification d'une sor-
tie au cinéma à un seul appel. Ou Manhattan Intelligence, une
banque d'informations exclusive aux membres les informant sur
tout ce que l'on peut faire, voir, manger, acheter ou autre dans la
ville. La plus grande réussite technologique de l'ère des vies multiples sera de trouver un moyen de publier toute l'information
dont nous sommes quotidiennement bombardés. Ce pourrait
être un ordinateur scrutant des publications au choix et imprim-
ant les informations que nous désirons ou avons besoin de
connaître en se fondant sur une connaissance approfondie de nos
vies, de nos goûts et de nos penchants. Un ordinateur scrutant et
traitant notre courrier!

La leçon à tirer de nos vies multiples? Mettre sur papier, résu-
mer, réduire, simplifier, rationaliser. Pas tant dans le but de vivre
encore plus vite (en faisant de plus en plus de choses en une seule journée) mais pour pouvoir retrouver un rythme de vie *plus
lent*. La réussite sans l'épuisement. L'accomplissement avec réduction du stress. Je prévois une toute nouvelle conception du
temps pour les années quatre-vingt-dix. Nous viserons encore la
réussite mais pourquoi ne prendrait-elle pas dix ans plutôt que
cinq? Désirons-nous vraiment changer de conjoint? Travailler
pour la firme B serait-il vraiment mieux que de travailler pour la
firme A? Nos vies multiples valent-elles vraiment tout ce stress?

Ce que nous voulons vraiment, c'est racheter le temps. Les
agents de marketing qui nous aideront en ce sens seront les plus
grands champions.

DIXIÈME TENDANCE

S.O.S. (Au secours de notre société)[34]

Le secours est notre première ligne de défense contre l'apocalypse.
1986

C'est peut-être la dernière. 1989

Il nous est impossible de renoncer à l'idée que les bons gagnent
toujours et que nous sommes les bons. 1991

Pour comprendre une société, apprenez à la connaître à la manière d'un enfant: le conditionnement précoce, la scolarisation, les règles de conduite, les leçons élémentaires de l'enfance. Pour comprendre *l'avenir* d'une société, écoutez les questions que posent maintenant les enfants.

Considérez les préoccupations des enfants d'aujourd'hui. Ils constituent une génération que j'ai baptisée les enfants de la survie — parce que la survie est leur tâche principale. À l'extrémité la plus tragique et la plus démunie de l'éventail social se trouvent les enfants «défavorisés» qui doivent carrément lutter pour simplement *survivre*: les bébés abandonnés, toxicomanes ou atteints du sida, les enfants ignorés ou négligés, les enfants issus d'une catastrophe économique et sociale, les bébés de gens manquant de maturité. Les enfants *bien* traités ont à l'esprit une survie de nature différente: que va-t-il arriver à la planète? À notre civilisation? À la race humaine?

La doctrine d'un avenir rose et la croyance quasi-religieuse au «progrès» que nous enseignons aux enfants américains ne

---

34. S.O.S.: du texte original anglais «Save our Society».

s'accordent tout simplement pas à ce qu'ils constatent autour d'eux. Aux actualités télévisées du soir, ils regardent la destruction de la planète. À part les actualités, ils ont leurs propres émissions télévisées consacrées à l'environnement, telles *Network Earth* et *Captain Planet and the Planeteers*[35]; leurs propres revues environnementales comme *P-3* et *TLC*; leurs propres livres comme *50 Simple Things Kids can Do to Save the Earth*[36]; leurs propres clubs, causes et associations populaires. Un enfant à qui l'on empêche de jouer à l'extérieur un jour en raison de la piètre qualité de l'air prendra très au sérieux cette qualité de l'air.

La question de la survie planétaire est *le* problème de cette génération qui prendra un jour le relais. Ce problème les rassemble, les politise, les terrorise. C'est également la force motrice de la tendance S.O.S., au secours de notre société.

Je commence par les enfants parce que c'est là, à mon avis, qu'il y a le plus d'espoir. Et cette tendance doit nécessairement reposer sur une base encourageante, pour notre bien à tous.

Qu'est exactement la tendance S.O.S.? Elle représente tout effort contribuant à faire des années quatre-vingt-dix la première décennie où nous serons vraiment responsables sur le plan social: la décennie de la respectabilité, consacrée aux trois secteurs cruciaux que sont l'environnement, l'éducation et l'éthique.

Ce sont les consommateurs faisant un par un leur possible pour améliorer leur propre conduite — mais plus que cela, c'est l'aveu que l'action individuelle n'est désormais plus suffisante. Nous désirons que quelqu'un se charge du problème. (Qui, de toute manière, dirige cette planète?) Une bonne part de notre malaise face à notre situation grave — et face aux échéances qui se rapprochent inexorablement — vient de l'impression qu'il n'y a personne pour venir nous sauver. Et nous avons raison.

La vérité est que le problème est trop gros pour qu'une seule personne en vienne à bout. Il faut qu'il y ait une action collective. Et cette action, bien qu'encouragée et soutenue par des individus, doit être orchestrée par les grandes structures de pouvoir

---

35. «Réseau Terre» et «Capitaine Planète et les planétaires». Traduction libre. (N.D.T.)
36. Cinquante choses que les enfants peuvent faire pour sauver la planète. (N.D.T.)

déjà existantes. Aux États-Unis, que cela nous plaise ou non, notre seul espoir réside dans les capitalistes partisans de la respectabilité; une transformation morale grâce au marketing.

Voilà ce qu'exigeront et établiront les enfants de la survie, lorsqu'ils prendront le relais. Mais nous ne pouvons attendre le moment de leur passer les rênes. Nous pourrions bien avoir déjà commis un suicide global et social d'ici là. Que pouvons-nous faire? Que faisons-nous maintenant?

Voici quelques points positifs. La conscience de la nécessité de sauver notre société n'a jamais été si aiguë. Une excuse du genre «nous ne le savions pas» n'est plus possible. Nous avons tous lu assez de reportages du *Time,* du *Newsweek* et de *L'Actualité* — regardé d'émissions télévisées spéciales et entendu de sermons — pour savoir que notre planète et ses habitants sont affreusement mal en point. (Imaginez les réunions du personnel des journaux ou des revues. «Quoi? Un avertissement général! L'effet de serre! Des règles politiques! Nous ne pouvons encore leur servir *cela*!») À nos yeux, les nouvelles les plus urgentes ne sont pas des nouvelles fraîches. Le danger est que les avertissements d'urgence se muent en clichés, que le cynisme s'installe ou que l'on se sente impuissant. (Il y a *combien* de barils d'huile flottant un peu partout? Je ne veux y *penser.*)

Faire le bien n'est plus un choix — c'est une nécessité.

Le vieillissement de la population américaine est un autre phénomène jouant en notre faveur.

Dans notre pays, c'est la perception des choses qu'ont les gens d'âge mûr qui prédomine — un âge auquel la vue à court terme fait place à la vue à long terme. Même si nous retournons en enfance, nous pensons malgré tout à l'avenir, abandonnant la pensée à court terme au profit d'un pensée à long terme. Nous avons puisé dans les ressources mondiales et voulons maintenant donner en retour. Autrement dit, l'horloge biologique prévalant au sein de notre culture commence à indiquer qu'il est temps d'être sage, et elle l'indique juste à temps.

Autre bonne nouvelle: le combat est entrepris. Ce n'est peut-être pas une grosse vague d'efforts collectifs, mais une action collective quand même suffisante pour inspirer de l'optimisme. Nous allons maintenant dans la bonne direction. L'avenir sera fait d'une multiplication de ces premiers efforts.

La meilleure nouvelle en matière d'environnement est la prise de conscience croissante du fait que la respectabilité peut être profitable — et devenir de plus en plus (nous l'espérons) déductible d'impôts. Pensez aux firmes qui se sont distinguées — tant moralement que financièrement — au cours des récentes années: Ben & Jerry's, The Body Shop, Patagonia, Tom's of Maine. Elles ont toutes commencé en se donnant comme premier objectif la responsabilité sociale plutôt que la rentabilité. La demande de la clientèle constitue la force; l'engagement de la firme, la poussée.

En l'espace d'une semaine après l'installation de sa «ligne verte», la chaîne canadienne de supermarchés Loblaw vendait pour un montant incroyable de 5 millions de dollars de détergents à lessive sans phosphate, de couches jetables biodégradables, de papier de toilette fait de papier recyclé et de filtres à café ne dégageant pas de chlore. La firme Procter & Gamble présente plusieurs de ses produits — Tide, Cheer, Era, Downy et Dash — dans des contenants de plastique recyclé à 25 pour cent. Vous pouvez maintenant acheter des recharges de Downy en papier carton. Colgate-Palmolive offre ses recharges de liquide à lave-vaisselle Palmolive dans des sacs de plastique mou à transvider dans une cruche réutilisable.

Les magasins Wal-Mart se sont dotés d'une politique environnementale globale: exigeant publiquement des marchands qu'ils offrent davantage de produits écologiques, mettant en valeur à l'aide d'étiquettes les produits écologiques placés sur les tablettes, installant des centres de recyclage dans tous les stationnements de leurs 1 522 magasins. General Motors a annoncé la fabrication commerciale de l'Impact, une automobile électrique n'émettant aucune substance polluante et pouvant parcourir 200 kilomètres avant de nécessiter un rechargement de ses batteries.

La directive S.O.S. évidente: si vous êtes une firme, *prenez* des mesures de ce genre; si vous êtes un consommateur, *appuyez* ce genre de mesures. Ce sont les mesures de l'avenir.

Près de la moitié des Américains ont entrepris en 1990 un type ou un autre d'action écologique en tant que consommateurs: 54 pour cent ont cessé d'utiliser les bombes aérosol, 49 pour cent ont acheté des produits fabriqués à partir de matières recyclées, 34 pour cent ont diminué leur consommation de serviettes de papier et 34 pour cent se sont abstenus d'acheter un produit par souci de l'environnement. Divers «sceaux d'approbation» environnementaux — comme le sceau vert, qui fonde son accord sur la durée de vie d'un produit, et la Croix Verte, qui vérifie les prétentions écologiques des fabricants — aideront bientôt à éduquer et à guider les consommateurs dans leurs achats pro-environnement. (D'autres pays ont pris les devants. Le Canada a un sceau de choix écologique; l'Ange Bleu de l'Allemagne existe déjà depuis douze ans.) Il existe également un catalogue du nom de *Seventh Generation* (septième génération) qui énumère les produits écologiques. Il y a aussi le livre *Shopping for a Better World* (des achats pour un monde meilleur), un guide pour «des achats sous le signe de la responsabilité sociale» qui s'est déjà vendu à 700 000 exemplaires auprès de consommateurs motivés.

On commence enfin à percevoir les fondements de l'écologie pour ce qu'ils sont: fondamentaux. Par exemple, le recyclage: en un an, en 1989, on a déposé plus de 800 projets de loi sur le recyclage. Il y a même une nouvelle revue pour les consommateurs appelée *Garbage* (poubelle) qui se consacre au problème des déchets. La collecte de déchets aux fins de recyclage est maintenant obligatoire dans de nombreux quartiers. Dans un site d'enfouissement, le papier met un mois à se décomposer, le verre et l'aluminium y mettent cinq cents ans. À la maison, trois minutes par jour suffisent pour faire le tri du papier, du verre et de l'aluminium en vue du recyclage.

C'est donc le retour du héros! Toute notre conception de l'héroïsme se modifie. Fini le temps où le plus riche, le plus beau, le plus puissant, le plus séduisant était nommé chevalier. Nous admirons désormais l'individu moral qui fait son affaire — tant au sens propre qu'au sens figuré — d'améliorer l'état de la planète. Des héros opportuns!

Pensez aux candidats suivants:

John Adams, cofondateur et directeur administratif du National Resources Defense Council, l'organisme privé (appelé l'ombre de l'EPA) réunissant les scientifiques et les avocats pour enquêter — et mettre en litige — le crime contre l'environnement: air, pesticides, eau potable, terrains publics, forêts, administration des zones côtières, avertissement général et tous les autres problèmes les concernant. Ce conseil joue même un grand rôle en matière de législation publique: il a favorisé l'adoption de lois très importantes telles que les Clean Air Act, Clean Water Act et Toxic Substances Control Act[37] et a formé des équipes de scientifiques américains et russes pour surveiller les essais nucléaires.

Paul J. Elston de la Long Lake Energy Corporation — tenant le rôle de David contre les Goliath de l'énergie — défie les grosses centrales en fondant et en dirigeant des installations d'énergie de substitution, celles-ci fournissent plus d'énergie à moindre coût et à moindre gaspillage que les grosses installations traditionnelles. Andrew Cuomo, le fils de l'ex-gouverneur de New York Mario Cuomo, a quitté son emploi au compte d'une firme d'avocats de Manhattan pour consacrer tout son temps à HELP, une association qu'il a fondée pour réunir les promoteurs privés et le gouvernement afin de construire des logements sans but lucratif destinés aux sans-abri. Le psychiatre Mitch Rosenthal est l'âme de la New York City's Phoenix House, le premier centre thérapeutique pour toxicomanes.

Carole Isenberg et Lynda Guber, deux ex-enseignantes de la ville de New York, devenues scénaristes et productrices à Hollywood (et épouses de grands patrons de studio), ont fondé ensemble Education 1st! une association visant à parfaire l'éducation par le biais des divertissements. Leur projet naquit de leurs soucis maternels: l'école publique du voisinage était si peu motivée qu'elles ne voulaient pas y envoyer leurs enfants. Leur comité compte aujourd'hui des gens de Los Angeles aussi puissants que Brandon Tartikoff, Eric Eisner, Jon Peters, Laura Ziskin et Joel Schumacher. Ils essaient, entre autres choses, d'influencer les dirigeants des réseaux de télévision afin qu'ils incluent dans leur programmation des émissions éducatives.

Anita Roddick, de Body Shop International, explore des limites intéressantes pour fabriquer des produits cosmétiques (de même que leur emballage) et tient autant compte de l'environnement que de la clientèle. (Étant donné que les techniques traditionnelles de fabrication du papier détruisent les forêts, elle a créé des ateliers dans des villages du Népal afin de fonder une industrie produisant des sacs à provisions et des étiquettes-cadeaux avec du «papier» fabriqué à partir de feuilles de bananier et de jacinthes.)

Il y a aussi les bons en matière d'organismes.

---

37. Lois concernant la pureté de l'air, de l'eau et le contrôle des substances toxiques.

Rubbermaid a lancé un programme environnemental consacré à «aider la Terre à se remettre très vite». Ernest & Julio Gallo a contribué financièrement au programme de reboisement, lancé par l'American Forestry Association[38]: l'objectif était d'avoir planté 100 millions d'arbres aux États-Unis pour 1992 afin de contrecarrer l'effet de serre.

L'école d'hôtellerie de l'université Cornell offre un cours intitulé «Comment héberger et nourrir les sans-abri». Habitat for Humanity, qui compte parmi ses bénévoles Jimmy Carter, a construit, depuis 1973, 5 000 logements destinés aux Américains démunis. La Community Capital Bank à Brooklyn est, au pays, l'une des rares banques, offrant tous les services, à mettre l'accent sur la responsabilité sociale. Elle fournit les capitaux nécessaires à la construction d'habitations à prix abordable et à la mise sur pied de petites entreprises. La plus grosse firme d'avocats de New York, Skadden, Arps, Slate, Meagher & Flom, a institué un fonds de 10 millions de dollars pour payer les causes judiciaires des démunis: le fonds est destiné à l'aide des sans-abri, à l'aide aux divorces et aux litiges en matière de garde des enfants.

Outward Bond, dans la ville de New York, a un programme d'entreprises commanditaires (parmi lesquelles AT & T de même que la Chase Manhattan Bank) pour aider à rendre l'école plus amusante aux élèves susceptibles de décrocher. Coca-Cola a choisi l'éducation comme «secteur d'activité philantropique»; elle a donné plus de 50 millions de dollars aux œuvres de bienfaisance vouées à l'éducation. Le tiers des entreprises américaines offrent actuellement des cours de lecture, de rédaction et de calcul aux nouveaux employés qui en ont besoin.

Le bénévolat est en pleine croissance. Près de la moitié de la population américaine œuvre maintenant à titre bénévole à des tâches comme des levées de fonds pour lutter contre la maladie et pour venir en aide aux démunis, aux personnes âgées ou aux personnes handicapées. Il y a eu une énorme vague de «mains secourables» pour les lignes ouvertes et les hospices pour victimes du sida — et plus récemment, pour les hôpitaux de vétérans.

Environ 600 firmes américaines offrent des programmes de bénévolat à leurs employés alors qu'il n'y en avait que 300 il y a douze ans. Xerox a institué un «congé pour service social» qui

---

38. L'association américaine de la foresterie.

permet à toute personne employée à la compagnie depuis trois ans et plus de se charger d'un projet de trois à douze mois pour le compte d'une association à but non lucratif, tout en recevant son plein salaire. K-mart possède ses «comités des bonnes nouvelles» organisés dans chacun de ses magasins et qui se chargent des efforts locaux de charité.

Les dons de charité ont, de manière plutôt étonnante, augmenté de 92,2 pour cent entre 1980 et 1987. Il est aussi intéressant de noter qu'en 1990, les ménages américains dont le revenu est inférieur à 10 000 ont donné en moyenne 5,5 pour cent aux œuvres de charité alors que les ménages dont le revenu est supérieur à 100 000 n'ont donné que 2,9 pour cent.

Que nous réserve l'avenir? Je prédis une nouvelle morale du sacrifice personnel de la part des Américains, ne serait-ce qu'un seul membre de chaque famille se vouant, non pas à la prêtrise comme auparavant, mais à l'éducation, à la santé, à l'environnement et aux problèmes sociaux.

Nous voyons déjà les inscriptions se multiplier dans les secteurs sociaux: une augmentation de 10 à 15 pour cent en 1987 dans les programmes de deuxième et troisième cycle en travail social; une augmentation de 61 pour cent, entre 1985 et 1989, des inscriptions aux programmes d'éducation; un intérêt plus marqué pour les carrières dans le service public. On peut espérer que les gens occupant les postes les plus prestigieux seront encore une fois les médecins, les scientifiques, les enseignants et les travailleurs sociaux. Ceux qui font le plus pour les autres.

Et nous devrions voir plus de bien se faire de la part des «haut placés» dans un mouvement capitaliste axé sur la respectabilité. La devise S.O.S.: que les problèmes du pays deviennent les problèmes des entreprises. IBM donne déjà des ordinateurs aux classes d'élèves; Apple en donne aux groupes environnementaux. Mais les entreprises vendant de la soupe devraient tenir des comptoirs de soupe gratuite. Les manufacturiers de vêtements devraient donner des vêtements aux pauvres. Les fabricants de dentifrice devraient mettre sur pied des cliniques dentaires pour les enfants démunis. L'industrie de l'édition devrait planter des arbres. Il faudrait que les fabricants d'automobiles fournissent le transport aux personnes âgées, aux enfants et aux handicapés. Il nous faut revenir à l'ère de l'entraide mutuelle.

Le marché américain, tel que nous le connaissons, se transformera. Les consommateurs exigeront — et rechercheront — des produits non seulement efficaces mais générant par ailleurs des profits «acceptables».

Le concept ultime: le marketing axé sur une cause — dans lequel chaque achat exprime une prise de position en matière d'environnement, de problèmes sociaux ou même de candidats politiques. L'agent de commercialisation doit inclure dans le prix des marchandises une fraction destinée à l'appui d'une bonne cause.

Où commencer? Si un produit pollue ou détruit, cessez de l'acheter et avisez le fabricant de votre décision. Suggérez-lui qu'au moment de régler les aspects négatifs, il aurait intérêt à créer des aspects constructifs, des produits et des services respectant le sens S.O.S.

Cherchez des moyens de faire partie du clan des bons. Recyclez vraiment. Aidez vos enfants à faire leurs devoirs. Donnez du temps ou de l'argent aux sans-abri. Ayez une conscience morale. Faites le bien.

S.O.S. est une tendance à faire le bien. Une tendance encore au stade de l'espoir et des possibilités. Devenez la personne à la tête du mouvement dans votre famille, votre entreprise, votre voisinage.

Agissez correctement.

Il ne suffit pas de «ne pas faire de mal».

TROISIÈME PARTIE

SUIVRE LES TENDANCES

Techniques de BrainReserve concernant les tendances et la manière de s'en servir pour faire de votre entreprise une société de l'avenir.

Imaginez un langage utilisant seulement le temps futur.
C'est la langue des tendances.

BrainReserve 101 :
La consultation des années quatre-vingt-dix

Les prédictions fondées sur les tendances ne sont pas des idées construites en tour d'ivoire. Ni un charabia de pronostics. Elles ne sont pas non plus des notions nébuleuses tirées d'une boule de cristal. Chez BrainReserve, notre supposée «démence» se fonde sur une méthode. Une méthode d'analyse et d'application pratique des tendances. Nous voulons fournir à nos clients commerciaux des réponses intelligentes en matière de marketing. Pour de nouveaux produits, de nouveaux noms, pour donner un avis supplémentaire, pour relancer des marques qui s'éteignent. Et par-dessus tout, pour tracer le profil du consommateur de l'avenir.

Nous œuvrons essentiellement dans le domaine des idées; nous canalisons les problèmes vers des solutions. Notre structure nous permet de faire des hypothèses et de clarifier nos idées en les confrontant à nos trois sources d'information principales: les dix tendances (notre fichier-tendances); la «réserve» de penseurs créatifs (notre fichier-talents); et les enquêtes auprès des consommateurs (plus de 3 000 enquêtes à l'échelle nationale par année). Grâce à ces divers puits d'intelligence, nous pouvons rapidement évaluer si nos idées doivent être ajustées à droite, à gauche, à la hausse ou à la baisse, nous pouvons également juger des possibilités d'avenir de nos idées. Nous pouvons prévoir si elles se rendront jusqu'au domicile des consommateurs, jusque dans leur vie.

Comme toujours, les tendances constituent notre meilleure garantie.

Je suis toujours étonnée de ce que bien des gens s'imaginent que nous nous asseyons chez BrainReserve pour rêver à des produits «imaginaires» ou faire des prédictions «excentriques». Notre entreprise est bâtie solidement sur d'importants projets à long terme que l'on nous a spécifiquement confiés, comme ce que nous appelons la focalisation sur l'avenir: l'avenir de l'alimentation, du prêt-à-manger, du film et des médicaments commercialisés. Certains contrats sont incroyablement difficiles, telle la relance d'une marque de commerce: trouver des solutions viables pour relancer une marque qui a fait ses preuves mais qui a perdu de sa popularité. Nous avons parfois la tâche (à titre de deuxième avis) de dire à nos clients que leur tout nouveau produit «conçu technologiquement» ne tient pas compte du consommateur. Voici un exemple concret: combien de gens voudraient d'une peinture intérieure brillante ne ternissant jamais mais sur laquelle on ne pourrait jamais repeindre? Une part restreinte bien qu'amusante de nos activités consiste à prendre nous-mêmes l'initiative de trouver des idées viables pour ensuite les proposer aux clients et ainsi produire nous-mêmes des occasions d'affaires. Nous sommes également à l'affût de produits marginaux que nous conseillons à nos clients de commercialiser à grande échelle.

Certaines idées viennent de notre manière de surveiller les actualités quotidiennes. En général, nous lisons les articles concernant le monde des affaires selon une formule interactive, comme si nous étions en conférence avec les protagonistes commerciaux. «Qu'est-il arrivé à votre entreprise?» «Que pouvons-nous faire pour vous aider?» C'est souvent en période de trouble ou de risque de faillite que l'on obtient les réponses les plus précises.

Un désastre d'un côté signifie souvent une bonne occasion de l'autre.

Au début de l'année 1990, nous avons lu tous les articles au sujet du rappel de Perrier. C'était d'un côté la mauvaise nouvelle. Nous y avons vu de l'autre côté la bonne nouvelle: une occasion en or pour San Pellegrino — ou toute autre marque connue d'eau minérale.

Ce raisonnement repose sur un précédent. Il y a plus de dix ans, Michel Roux, de Carillon Importers, a perçu une possibilité de ce genre lors d'un boycottage de la Russie et des produits russes. Puisque la meilleure vodka vendue était à l'époque la Stolichnaya, il entrevit un moyen de remplacer le slogan négatif «n'achetez pas un produit russe» par un slogan positif vantant sa propre marque, Absolut, produit importé et relativement peu connu. Après un brillant battage publicitaire, plus personne ne se demandait si une vodka suédoise était préférable ou non.

Absolut s'est emparé du marché. C'est la vodka de choix la plus vendue.

Dans un secteur tout à fait différent, je me rappelle avoir lu sur des espadrilles Reebok dont la semelle contenait une pompe, ce qui me fit penser à la chose que je déteste le plus des espadrilles. Étant donné que je voyage beaucoup (et que je marche nécessairement), ces énormes chaussures occupent presque le quart de la valise. Je me suis alors demandé — pourquoi pas des espadrilles gonflables à l'aide d'une mini pompe pour les gens qui voyagent?

Certaines de ces idées ont généré des contrats et d'autres pas. Mais le plus important, c'est que les idées suscitent d'autres idées pour finalement créer une nouvelle réalité. Je garde sur mon bureau, à titre de rappel, une petite affiche très simple quoique très directe: «C'est possible.»

Le premier compte rendu écrit des idées de BrainReserve apparut dans le *New York Times* en 1980. Il s'intitulait: «Inside Consumers' Minds[39]». Nous nous en servons comme point de référence, non pas pour nous vanter d'avoir eu raison mais pour prouver notre compréhension du marché. Cela semble très simple: les prédictions sont des signes avant-coureurs. Si une firme prend la peine de connaître les tendances à la consommation, elle peut gagner du terrain sur ses compétiteurs.

— Nous avions dit que les Américains, réalisant récemment qu'ils devraient réduire leur consommation de sel, s'ennuieraient et chercheraient des produits de substitution. Qu'est-il arrivé? L'apparition de fines herbes au supermarché. Des mets épicés partout, du prêt-à-manger aux plats congelés.

— En observant l'interminable parade d'automobiles américaines fades et en forme de boîtes complètement dépouillées, nous avions dit que bien des gens «s'ennuieraient de l'éclat des automobiles voyantes... attendez-vous par conséquent à l'apparition d'une petite voiture chargée de clinquant mais à faible consommation d'essence». Et la nouvelle Mustang, la Miata, la Celica sont là aujourd'hui.

---

39. Dans la tête des consommateurs. Traduction libre. (N.D.T.)

— Nous avions en outre prédit la mise de côté du vin et un retour aux cocktails en vogue des années trente. Le *sidecar* n'est pas encore réapparu mais le martini oui.

— Nous avions dit que le taux de divorce diminuerait (ce fut le cas) et que la fidélité serait en hausse (oui, à la suite du sida); qu'il y aurait un regain d'intérêt pour la famille (il y en a un). Nous assistons maintenant à une nouvelle explosion des naissances et à un retour à la religion.

— Nous avions dit que le «culte de la jeunesse» ferait place à celui de l'âge mûr et au-delà. Vous vous souvenez à quel point l'émission télévisée *Golden Girls* semblait révolutionnaire la première fois qu'elle fut présentée? Une demi-heure sur les plaisirs et marottes de quatre dames âgées. Elle a figuré parmi les dix émissions les plus populaires.

La revue *Times* qualifia nos résultats de «controversés».

Depuis lors, nous avons gagné de l'assurance et on a cité nos prédictions: le retour de la chaise longue de type Barcalounger; la popularité d'une pièce de la maison réservée aux appareils de communication; la nouvelle cuisine italienne comme le genre de nourriture le plus populaire dans les restaurants; la stabilité du marché du yogourt, la précarité de celui du Tofutti. Et bien d'autres choses — la maison comme lieu de travail, les agendas électroniques, les salles de bain anti-stress, le bœuf maigre, les comptoirs d'eau, les comptoirs à café, le dentifrice sans sucre et les femmes aux hanches plus arrondies.

C'est en 1984 qu'on parla le plus de nous, après avoir qualifié le Coke «nouvelle formule» de «pire fiasco de marketing de la décennie» et après avoir ajouté que «le géant s'écroule».

Si nos résultats semblent aujourd'hui si évidents, c'est bien la preuve que la méthode de BrainReserve fonctionne. C'est la preuve certaine que vous pouvez dès aujourd'hui commencer à façonner l'avenir et en profiter dès demain.

Les tendances vous libèrent de vos œillères. Elles vous ouvrent les yeux et vous placent dans la bonne perspective.

C'est là la seule façon de voir venir l'avenir.

BrainReserve 102:
Organiser l'avenir

Chercher des poteaux indicateurs vers l'avenir peut être amusant mais dans le domaine des idées, comme dans n'importe quelle autre entreprise, on ne peut se contenter de traiter la paperasserie. Il ne faut pas oublier de prendre le temps de réfléchir, de penser à ce qui s'en vient. Vous risquez autrement de perdre de vue votre propre avenir.

Chez BrainReserve, nous pensons très loin à l'avance et regardons ensuite en arrière pour voir quelle décision notre client devrait prendre à tel ou tel moment. C'est comme regarder l'avenir à l'autre extrémité du téléscope. Si vous savez ce qui se produira dans un avenir lointain, il vous sera très facile de déterminer la bonne marche à suivre dans le présent ou dans un avenir rapproché.

L'avenir de la consultation s'est considérablement modifié depuis le début des années soixante-dix, au moment de la fondation de BrainReserve. C'était une époque tranquille du point de vue économique. Les firmes pouvaient se permettre d'attendre de six à douze mois pour trouver des solutions et ensuite prendre *des années* à se décider de faire ou non quelque chose.

Avec les exigences plus fortes de la clientèle, plus personne ne dispose aujourd'hui de cette marge de manœuvre. Nous pouvons le percevoir chez nos clients et nous avons dû nous-mêmes agir en conséquence.

Je dis toujours à mes clients œuvrant dans le domaine des *produits*, qu'ils travaillent dans le domaine des *services*. Mais que doivent faire les entreprises de services? Que peuvent-elles offrir? Considérant l'avenir de ma propre firme axée sur les services, j'ai commencé à me poser la question.

Une réponse m'est venue à l'esprit: il nous faut également offrir un produit.

En plus de nos services de consultation, le produit que nous offrons est l'avenir — en essayant de donner des informations et des perspectives sur l'avenir au plus grand nombre de gens possible. Il y a en outre bien des façons d'organiser et d'aménager l'avenir. À l'étape de la planification: un bulletin ou une revue des tendances, un guide du consommateur sur ce qui s'en vient et ce qu'il faut en faire. Carol Farmer, le gourou de la vente au détail, nous a même suggéré d'ouvrir une boutique où nous pourrions vendre les produits les plus récents relatifs aux tendances durant un mois seulement; pas de stock.

L'un de nos produits les plus demandés est un séminaire baptisé *«Atelier-tendances»*. Nous y dressons un panorama de l'avenir avec des groupes comptant de 20 à 1 500 personnes. En leur donnant des exemples de modes passagères par opposition à des tendances véritables, de héros contemporains, de ce qui est populaire et de ce qui ne l'est pas, nous donnons corps aux tendances à l'aide de faits et de chiffres de même qu'avec des diapositives.

Je commence habituellement par leur raconter une histoire à propos de mon nom (si je ne le fais pas, l'auditoire sera trop préoccupé par l'origine de «Popcorn»). C'est souvent l'histoire drôle de mon «grand-père italien» — Poppa Corne — dont le nom fut changé par le bureau de l'immigration[40]. Je peux ensuite entrer dans le vif du sujet.

La partie la plus instructive de mon exposé consiste à comprendre ce qui déclenche le rire de l'auditoire. Ces moments joyeux prouvent, avec du recul, que les tendances sont à l'œuvre. Elles constituent les chemins vers l'avenir. Ce sont toujours les remarques les plus choquantes ou les plus absurdes qui deviennent finalement les plus répandues.

On m'a dit à maintes reprises qu'un peu partout dans l'Amérique des affaires on entend un refrain qui ressemble à ceci: «Faith Popcorn l'avait prédit il y a bien des années.» Lors d'un congrès national tenu en Floride en 1983, j'ai annoncé à l'auditoire qu'une nouvelle maladie nommée sida aurait bientôt un im-

---

40. L'histoire réelle: mon premier patron et ami, Gino Garlanda, a toujours eu du mal (et du plaisir) à prononcer mon nom de famille. Il avait diverses versions de Plotkin — «Potkin, Papkin, Popkon, Popcorn». C'est ainsi qu'il me surnomma Popcorn — et cela m'a plu. (Oui, Popcorn apparaît sur mon passeport.)

pact sur les relations sociales aux États-Unis, ne changeant pas seulement l'optique des bars pour célibataires (les aventures sexuelles), mais aussi le taux global des mariages et des naissances. Ils se mirent à rigoler tout bas pour ensuite pouffer carrément de rire, me disant que cela ne toucherait *en rien* leur entreprise œuvrant dans le domaine de l'alimentation.

Ce genre de réaction nerveuse semble faire partie de l'étude des tendances. Bien des idées nouvelles provoquent un choc, surtout quand elles ne font pas partie des prévisions à long terme d'une entreprise ni de ses plans de marketing. Certes, j'éprouve toujours une certaine satisfaction (vengeance?) lorsque des clients me disent plus tard qu'ils auraient dû mieux écouter. Dans un travail comme le mien, on ne peut cependant jamais répliquer «Je vous l'avais bien dit».

Au début des années quatre-vingt, par exemple, nous avions laissé entendre à une entreprise de parfums que les femmes américaines rechercheraient davantage les parfums à forte évocation sexuelle, plus forte que la passion. Le nom recommandé par BrainReserve: Obsession! L'un de nos clients, fabricant de produits alimentaires, croyait que notre prévision d'une tendance vers une nourriture plus saine pour les chiens était une idée complètement farfelue, jusqu'à ce que Purina, un compétiteur, lance O.N.E., un produit axé sur la santé. (Peter Flatow, l'un de mes ex-collaborateurs, avait l'habitude d'avertir nos clients: «Si vous avez une bonne idée pour un nouveau produit, quelqu'un d'autre est probablement déjà en train de travailler à cette même bonne idée, ou s'apprête à le faire.»)

Mais ce qui m'étonne toujours le plus, ce sont les entreprises qui croient ne pas avoir à tenir compte des tendances de la consommation. Que seul aujourd'hui importe et non demain. Ces entreprises sont habituellement situées à Detroit.

Dans cette ville, un fabricant d'automobiles de luxe m'a dit ne pas avoir besoin de nous parce qu'il doutait que le consommateur en vienne un jour à croire qu'une automobile américaine de 30 000 dollars puisse évoquer le «luxe» autant que le font les BMW, Mercedes ou Lexus. Je lui ai expliqué que le consommateur des années quatre-vingt-dix voulait certes le luxe, mais à moindre coût. Que s'il présentait son modèle de manière appropriée, il pourrait gagner le haut du pavé. Il rétorqua que son modèle n'était pas encore d'une assez bonne qualité, avait piètre ré-

putation mais était présentement en voie d'amélioration. Il ajouta
en outre qu'il avait besoin de parler à quelqu'un qui s'y connaissait en *automobiles* et non en *consommateurs.*

Ce genre de vision à court terme, typique des gens d'affaires
américains, est ahurissant — et juste à l'idée que c'est la principale cause du recul de Detroit, mon sang américain se fige. (Il n'y
a pas si longtemps, ce modèle spécifique d'automobile était le
symbole national du «j'ai réussi».) Trop de promoteurs supposent
que l'avenir retiendra son cours pour les attendre. L'avenir n'attendra pas.

Comment prenez-vous l'avenir en main? Littéralement, en
main. BrainReserve a créé un produit que nous appelons trousse-
tendances, ou l'avenir en trois dimensions. Deux fois par mois,
nous préparons une boîte d'articles représentant nos tendances
— la musique ethnique des Gipsy Kings; les racines comestibles
croustillantes, colorées et à friture légère de marque Terra Chips
(yucca, igname, panais, lotus, betterave); une trousse pour faire
son propre parfum; des pilules revitalisantes aux herbes, même
une très simple ampoule de crack (vide), ramassée sur un toit
d'East Village — pour constituer un tableau destiné aux clients à
l'affût des innombrables cultures.

Comme nos clients veulent sans cesse des réponses rapides
en matière d'avenir, nous avons en outre «préparé» un autre produit: la séance de remue-méninges, des rencontres sur place
pour trouver des solutions rapides à un problème. Ces sessions
d'une à deux heures reprennent des problèmes, les amplifient et
les résolvent sur-le-champ. Il y a un modérateur de l'extérieur
(pour faciliter la suite des idées) en plus d'un groupe de dix à
douze personnes, composé d'employés de BrainReserve, de spécialistes du fichier-talents et de clients. Il faut peu de temps à nos
clients pour saisir le rythme des sessions de remue-méninges et
pour obtenir leurs réponses.

Nous avons de la sorte «remué» l'un de nos problèmes inter-
nes: qu'est exactement BrainReserve? Comment devrions-nous
nous définir? Nous positionner sur le marché? Nous avons commencé en disant que nous sommes une firme de marketing, et
plus. «Un groupe de réflexion?» Pas tout à fait. «Une firme de
consultants spécialistes de l'avenir?» C'est presque cela. C'est
alors que quelqu'un a dit: «Nous sommes une petite *clinique* qui

prend soin de la réflexion sur l'avenir.» Après avoir soupesé les avantages et inconvénients de chacun des mots, nous étions d'accord. Nous avions tous aimé l'image de la «clinique» qui prend soin. Problème résolu.

Il existe une version un peu plus longue de ces réunions éclair, pour le client désireux d'approfondir un thème pendant un ou deux jours complets. Nissan fit appel aux possibilités de notre fichier-talents et, à la manière gentille et détournée des Japonais, ne demanda pas «quel est l'avenir de l'industrie automobile de pointe?» mais plutôt «parlez-nous de l'avenir du style». Nous avons réuni certains des dix plus grands créateurs de styles de notre fichier-talents: Martha Stewart, créatrice d'un style de vie; Amy Gross, directrice de la revue *Mirabella*; Joanne Newbold, décoratrice commerciale; Lee Bailey, auteur de livres de recettes, et ainsi de suite. Nos experts spéculèrent, interprétèrent, illustrèrent et échangèrent leurs points de vue «professionnels». Nissan prit congé avec une idée très claire et nette du style américain sous tous ses angles. Des vérités fondées sur les tendances et conduisant à l'avenir. Voyons maintenant ce qui vient vers nous.

Ce qui est possible pour BrainReserve est possible pour votre entreprise. À partir d'ici, vous trouverez exactement comment *nous* appliquons les tendances et comment *vous* pouvez en faire autant. L'application pratique se fait au fond comme ceci:

De la prédiction d'une tendance…
Vers une production orientée sur la tendance…
À un produit axé sur la tendance.

La lunette des tendances:
Analyse de la conformité aux tendances

Au cœur de chacun des projets que nous menons à BrainReserve se trouve un procédé que nous appelons «analyse de la conformité aux tendances». Ce procédé d'allure plutôt formelle est la méthodologie employée pour évaluer une cible spécifique — une industrie, une entreprise, un service, un produit ou des idées de produits, des concepts de marketing et de publicité — en fonction des tendances. (Nous avons même utilisé cette méthode pour analyser des cibles aussi diverses que des productions/scénarios de films, des listes de projets d'édition, des prototypes de revue, des «héros» proposés, de même que des ébauches de nouvelles séries télévisées, des célébrités porteparole et des campagnes politiques.

Nous posons simplement des questions comme ceci: l'idée, le produit ou le concept, est-il conforme ou non conforme aux tendances? Se situe-t-il à l'intérieur ou à l'extérieur des tendances? Son attrait sera-t-il à la hauteur des besoins et des désirs des consommateurs? A-t-il un potentiel de longévité? Rejoint-il un «courant profond» de la culture — ou s'évanouira-t-il comme une simple mode? Bref, ce truc a-t-il un avenir?

Notre expertise, au-delà de l'analyse, consiste à créer des concepts totalement nouveaux ou à repenser des concepts déjà existants — non pas seulement pour les «ajuster» aux tendances mais pour leur donner une vie réelle. Les idées qui marchent sont celles qui s'appuient sur *un minimum de quatre tendances*. Une tendance — disons par exemple l'aventure fantastique — peut bien être la principale force motrice d'une idée; mais l'idée doit également s'ajuster d'une manière ou d'une autre à trois autres tendances ou plus.

Voici comment cela fonctionne. Vous commencez par les tendances elles-mêmes. Il s'agit de prendre chacune des tendances séparément, d'analyser l'idée (l'entreprise, le produit) en fonction de la tendance. Il faut au début chercher des indices de conformité/non-conformité. L'idée s'harmonise-t-elle (naturelle-ment) à la tendance ou va-t-elle à l'encontre (si c'est le cas, le conflit est-il fondamental?)? Dans son ensemble, l'idée va-t-elle dans le sens de la tendance en comportant toutefois certains élé-ments s'y opposant? Si la cible va dans le sens de la tendance, il faut chercher des moyens d'accentuer la réaction positive. Si l'idée est extérieure à la tendance, il faut chercher des moyens d'y pallier: par des changements radicaux, s'il y a conflit fonda-mental; ou par des raffinements, si certains éléments seulement se trouvent «hors-tendance». L'analyse constitue la première éta-pe; la rectification est la seconde.

Prenons à titre d'exemple les supermarchés. Voilà une indus-trie qui fonctionne sensiblement de la même manière depuis plu-sieurs décennies: des chariots, un assortiment ahurissant de produits, de longues files d'attente aux caisses et des sacs en-combrants. La plupart d'entre nous considérons les courses au supermarché comme l'une des dures corvées inévitables de l'existence. Mais les épithètes «dures» et «inévitables» ne sont pas le genre d'adjectifs indiquant une industrie avec un avenir. Les supermarchés sont en difficulté. Permettez-moi de vous conduire jusqu'au «dernier stade» de l'analyse de la conformité aux tendances pour vous démontrer comment les tendances peuvent vous aider à bien cerner le problème et vous conduire à la solution.

Analyse de la conformité aux tendances: l'industrie du supermarché selon chaque tendance

Cocooning

Y a-t-il un aspect de l'industrie du supermarché qui évoque la sérénité du cocon? Non. Les gens préféreraient demeurer chez eux. Les dimensions décourageantes et l'éclairage cru, sans parler des entrechocs de chariots, éloignent autant que faire se peut les supermarchés du cocon. Hors-tendance.

Aventure fantastique

L'alimentation est depuis toujours l'une des grandes aventures fantastiques mais les supermarchés tuent le rêve. Le supermarché américain typique n'offre rien d'excitant à part, de temps en temps, le présentoir d'échantillons de trempettes ou le clown du terrain de stationnement; il n'y a pas de sensualité ni de magie. Les supermarchés sont quelconques. Hors-tendance.

Petites gâteries

Vous pourrez peut-être en trouver quelques-unes mais le supermarché n'est pas comme tel une petite gâterie. Il ressemble plus à un gros fardeau. Vous méritez aujourd'hui une excursion au supermarché? Pas précisément. Hors-tendance.

Égonomie

Qu'y a-t-il de personnel au supermarché? Par définition, c'est un marché de masse. Vous vous joignez aux hordes anonymes et exténuées pataugeant dans un interminable déploiement de produits. Il y a très peu de services à la clientèle, aucune prise en considération de vos besoins individuels. Les supermarchés sont conçus en fonction d'une grande capacité — de produits et de gens. Ils ne peuvent se convertir au marché sur mesure. Hors-tendance.

Départ monnayé

Le stress est la principale émotion psychosociale associée à une visite au supermarché. Le stress est justement ce qui pousse les gens au départ monnayé. Hors-tendance.

Retour en enfance

Eh bien, peut-être. Faire des courses à un endroit ayant à peine changé depuis notre enfance peut à la limite représenter un retour aux sources. On éprouve un bien-être familier à descendre et remonter les allées, comme on le faisait enfant en compagnie de maman. Il y a un plaisir à voir beaucoup de formes et de couleurs déployées devant soi. Un peu conforme à la tendance.

Rester en vie

Le supermarché finira-t-il par vous tuer? Peut-être. C'est un terrain miné de tentations. Dans un monde bombardé de sel, de gras, d'additifs chimiques et de pesticides contaminants, le supermarché est un point de radiation maximum. Il n'y a pas suffisamment d'informations pour vous permettre de vraiment distinguer ce qui est sain de ce qui ne l'est pas. Les supermarchés n'ont tout simplement pas l'air d'endroits du genre où l'on peut rester en vie. Hors-tendance.

Le consommateur averti

La plupart des supermarchés semblent le prototype de l'ennemi du consommateur. Il n'y a là personne «en faction» pour se préoccuper du consommateur: vous êtes sensé vous débrouiller seul dans un dédale de manipulations. L'environnement complet semble dire: «Nous n'avons fait qu'emplir les tablettes, Madame. C'est à prendre ou à laisser.» Sans compter que les supermarchés rendent pratiquement impossibles les achats constituant des prises de position politiques. Il n'y a pas d'information sur les produits boycottés (et pourquoi y en aurait-il? De qui les supermarchés devraient-ils se faire les défenseurs?); sur la manière de communiquer avec les fabricants pour porter plainte ou obtenir de l'information; comment acheter de manière écologique. Disons-le carrément: les consommateurs ont l'impression que les supermarchés sont de mèche avec les fabricants pour les duper, leur en faire croire, pour se faire du pognon. Ils ne défendent pas les consommateurs. Voilà qui est hors-tendance.

Vies multiples

Rien qui ne soit ici d'un courant majeur — sauf ce qui est dans l'intérêt du supermarché. (Finirons-nous un jour par vraiment faire confiance à ce système électronique de décodage utilisé aux caisses?) Les courses au supermarché ne sont que des tracas, du début jusqu'au rituel épuisant du chariot poussé à la voiture où il faut le décharger soi-même et se débattre ensuite pour le rapporter (ou le laisser là et déguerpir). (Sans parler des supermarchés *urbains* où, à moins d'un service de livraison à domicile, vous n'achetez que ce que vous pouvez transporter.) Les supermarchés pourraient être tellement *compatibles* à la tendance. Ils sont malheureusement hors-tendance.

S.O.S. (Au secours de notre société)

Hélas, il n'y a pas ici de possibilités de bonnes actions. Même le retour des cannettes de boisson gazeuse constitue une expérience punitive. Au retour à la maison, il y a davantage de choses à *jeter* que de choses à ranger. Et nous en savons encore trop peu au sujet des implications planétaires des achats que nous faisons. Hors-tendance.

Les spécialistes de l'industrie vous diront que les supermarchés ne s'en tirent pas très bien à l'heure actuelle. En tant que spécialiste des tendances, vous pouvez voir que les supermarchés vont droit au malheur — à la catastrophe! À l'exception d'une certaine valeur nostalgique minime, l'industrie du supermarché est désespérément hors-tendance à tous les points de vue. Et c'est là l'industrie qui *représente* à bien des égards le cœur de la «consommation». Elle devrait tout faire pour suivre les tendances plutôt que le contraire. Si cette prédiction sombre vous semble extrémiste, souvenez-vous que les défenseurs des magasins à rayons disaient que ces derniers n'avaient pas besoin de changer en fonction de l'avenir. Où pourraient aller les consommateurs? Ainsi qu'ils le découvrent tragiquement, les consommateurs trouvent *toujours* un autre endroit où aller lorsqu'ils atteignent un «seuil critique de mécontentement» — quand ce qu'on leur offre n'a rien à voir avec leur vie et est non conforme aux tendances.

AJUSTEMENT AUX TENDANCES

Qu'est-ce que j'entrevois pour les supermarchés? Ce prototype du marché américain doit, pour survivre, se *transformer* en prototype du marché de l'avenir. Il n'y a pas grand-chose (comme nous venons de le voir) au supermarché qui mérite un avenir prolongé. Il n'y a pas là grand ouverture à l'instauration de petites réformes. Un mode d'accès aux produits totalement nouveau s'impose, un nouveau mode s'accordant aux principales tendances sociales. Une recommandation pour l'avenir des supermarchés (quoique fort éloigné) relèverait de la réalité virtuelle.

LE SUPERMARCHÉ DE LA RÉALITÉ VIRTUELLE

Certains l'appellent «espace cybernétique», d'autres «réalité artificielle». La réalité virtuelle est en fait une technologie permettant de synthétiser un univers — un monde en trois dimensions, palpable, perceptible, audible, visible et interactif — au moyen d'images et d'impressions générées par ordinateur.

Pour avoir accès à ce monde, la personne doit revêtir des vêtements spéciaux (à l'heure actuelle, des gants et des lunettes protectrices) — reliés à un ordinateur baptisé par les experts «machine de réalité domestique». Les gants captent et transmettent les données (Nintendo en a déjà fait breveter une version simplifiée pour ses jeux); les lunettes protectrices (certains les appellent «visionneurs») vous situent dans l'espace synthétique à l'aide de sons et d'images. Le fait de pointer un doigt vous transporte dans l'espace — le fait de saisir un «objet artificiel» dans l'espace artificiel vous renvoie, grâce aux gants, des sensations très réelles. On se croirait dans la «Patrouille du Cosmos» mais la technologie de la réalité virtuelle existe déjà. (La NASA et l'armée en détiennent actuellement les applications les plus sérieuses.) Jaron Lanier de VPL Research à Redwood City, en Californie, disait en 1989 que la réalité virtuelle pourrait pénétrer dans les foyers d'ici la fin du siècle. Moins de dix ans. Imaginez les possibilités d'un supermarché généré par la réalité virtuelle — un système haute technologie de magasinage et de livraison à domicile. Voyons à quoi cela ressemble, selon chaque tendance.

Cocooning. En sécurité dans votre cocon, vous décidez de faire vos emplettes au moment qui vous convient. Vous mettez les lunettes protectrices et les gants et vous étendez ensuite sur votre duvet. Vous n'avez pas à sortir de la maison ni même à vous habiller. Vêtue de votre chemise de nuit la plus confortable, vous commencez votre...

Aventure fantastique. Imaginez-vous vous rendant vers un kiosque à la campagne par un chaud soleil d'été pour y acheter des légumes. (Vous pouvez même presser les tomates — et grâce à votre gant, sentir vraiment si elles sont mûres ce jour-là.) Indiquez du doigt Marrakech ou la Jamaïque pour voir les marchés d'où proviennent vos épices. Visitez une pâtisserie française pour examiner les croissants et les baguettes. (Qui oserait dire que l'«odeur» ne fera pas bientôt partie de la réalité virtuelle?) Souriez à la mine du plus aimable des bouchers de l'Iowa qui vous montre ses meilleures coupes de viande avant de les expédier à votre magasin. (Si vous êtes très curieuse, jetez un coup d'œil aux pâturages du bétail.) Voyez le lait et le beurre à la ferme, votre eau embouteillée aux sources pures. Vous passerez alors votre commande d'un autre œil à partir d'une autre perspective. La magie du supermarché.

Petites gâteries. Qu'y aurait-il de plus agréable qu'un voyage quotidien de dix minutes hors de ce monde?

Égonomie. La «machine de réalité domestique» est une machine intelligente qui vous connaît en profondeur. Si vous êtes présentement au régime, elle vous guide vers des achats sains. Elle connaît les ingrédients qu'il faut pour *votre* recette de sauce chili et vous guide dans les «allées» afin de ne pas oublier le cumin, par exemple, ou la bière. (Imaginez un survol rapide de la manière de préparer un plat — incluant une démonstration de l'art de couper les filets ou de pétrir la pâte à pain — en plus d'un aperçu du produit fini, accompagné de suggestions pour le service.) La machine connaît votre orientation politique et les problèmes qui vous intéressent et elle peut afficher pour vous l'information récente concernant les organisations «environnementales», les boycottages en cours ou les changements en matière d'authentification kascher. Grâce à la réalité virtuelle, vous choisissez vraiment votre propre univers. Vous devez décider de la réalité que vous préférez. Peut-il exister plus parfaite expression de la consommation sur mesure?

Départ monnayé. S'il vous est tout à fait impossible de vous monnayer un départ à la campagne, vous pouvez du moins «magasiner» au marché agricole grâce à la réalité virtuelle (et faire directement livrer vos produits chez vous). En réalité, le seul fait de se retirer de la foire du supermarché pour magasiner confortablement au foyer constitue à lui seul un mode de vie associé au départ monnayé.

Retour en enfance. Le supermarché de la réalité virtuelle, c'est le Nintendo des adultes pour leurs emplettes, le jouet suprême. Remplissez vos obligations d'adulte en jouant à un jeu très amusant.

Rester en vie. Le supermarché de la réalité virtuelle vous fournit instantanément les informations nutritives de même que les informations sur les combinaisons alimentaires et la planification des menus (en fonction des besoins précis de votre famille). Apprenez des façons saines de préparer les repas sains de votre choix.

Le consommateur averti. À l'aide d'informations complètes disponibles en tout temps, vous êtes en mesure de faire des choix éclairés. Les programmes interactifs permettent de discuter avec les fabricants et de surveiller les progrès des réformes promises et les résultats obtenus par les entreprises. Les possibilités d'«étiquetage» sont infinies — il n'y a plus de limite physique au volume.

Vies multiples. Tout le temps consacré habituellement aux emplettes se transforme en minutes passées dans la réalité virtuelle. Vos achats vous sont livrés à domicile. Vous franchissez infiniment plus d'«espace» en considérablement moins de temps.

S.O.S. (Au secours de notre société). Alors que nous pourrons encore choisir sur écran des produits aux emballages sophistiqués et disposés sur des étalages luxueux, les fabricants peuvent maintenant fournir les marchandises sans les emballages superflus — et les achats réels peuvent nous être livrés presque «purs». Nous profitons enfin du plaisir du magasinage idéal, sans les tracas et l'agression de l'environnement. Le supermarché de la réalité virtuelle est peut-être bien une réalité d'un avenir éloigné — ce qui, selon ma définition du temps, signifie quinze ans plutôt que cinq. Mais c'est dans ce sens que nous allons. De voir aussi loin permet une planification actuelle plus intelligente et davantage axée sur l'avenir.

Les supermarchés devraient penser *dès maintenant* à des moyens d'enchaîner directement avec la réalité virtuelle de demain. Cela signifie l'investissement de capitaux dans des systèmes d'entreposage et de livraison — et non pas dans de nouveaux styles de magasins; ils seront bientôt périmés. Cela signifie que les supermarchés doivent maintenant devenir des centres d'information avec une réputation de service à la clientèle — pour construire une base solide et vraisemblable pour les supermarchés de la réalité virtuelle qu'ils sont appelés à devenir.

Certes, l'analyse de la conformité aux tendances ne se limite pas à résoudre les problèmes des industries déjà en place. Voici comment nous avons travaillé avec Eddie Sardina, Freddie Piedra et Paul Nelson pour le compte de Bacardi Imports, à la création d'un tout nouveau produit, Bacardi Breezers — une boisson à faible teneur d'alcool, à base de rhum et de jus de fruit — devenu aujourd'hui (après moins de trois années sur le marché) la troisième plus grande marque au pays, se vendant à plus de 4 millions de caisses. Les journaux parlent de son rapport de ventes phénoménal comme d'une vraie «sensation». Les ventes de boissons alcoolisées en général sont en perte de vitesse et les coolers à base de vin connaissent un déclin précipité. Aux yeux de ceux qui n'étudient pas les tendances, les Bacardi Breezers semblaient un projet audacieux. Quant aux observateurs férus des tendances, ils surent percevoir les esprits brillants derrière l'idée.

ANALYSE DE LA CONFORMITÉ AUX TENDANCES BACARDI BREEZERS

Cocooning. L'hôte sociable a besoin d'idées nouvelles et brillantes pour ses réceptions occasionnelles: une saveur exotique, facile à préparer et à servir à la maison. Conforme à la tendance.

Aventure fantastique. Le rhum possède en sol ses propres résonances de paradis tropical et d'aventures dans les îles. Le nom même de Bacardi Breezers évoque en soi la fraîcheur, la légèreté, comme les anses marines et les palmiers au vent; le rêve parfait pour la jeunesse d'aujourd'hui et les buveurs d'occasion. Conforme à la tendance.

Petites gâteries. La qualité à un prix très raisonnable. Les ingrédients d'un Bacardi Breezers en font une petite gâterie parfaite. Rafraîchissant et délicieux, son bon goût procure au consommateur un sentiment de gratification immédiate. Vous l'appréciez au moment même d'y goûter pour la première fois. Conforme à la tendance.

Égonomie. Ce rafraîchissement de style jeune et piquant a été conçu «expressément pour moi». Un peu conforme à la tendance.

Départ monnayé. Il vous permet de croire que vous avez quitté la «course» pour un endroit de rêve, ne serait-ce que pour quelques minutes. Conforme à la tendance.

Retour en enfance. Une boisson axée sur le plaisir, le plaisir, le plaisir. Conforme à la tendance.

Rester en vie. Des saveurs de fruits et un faible taux d'alcool dénotent un esprit de santé. Un peu conforme à la tendance.

Le consommateur averti. Un produit de qualité de marque reconnue et ayant fait ses preuves auprès du consommateur. Conforme à la tendance.

Vies multiples. Vous pourriez aisément prouver qu'une «boisson préparée» est plus facile et plus rapide à servir qu'une boisson qu'il faut préparer soi-même. Conforme à la tendance.

S.O.S. (Au secours de notre société). La faible teneur en alcool suit les dispositions actuelles à la modération. Conforme à la tendance.

Nous recherchons d'habitude une concordance avec quatre catégories — dont l'une exprime fortement une tendance qui alimente le concept. Dans le cas des Bacardi Breezers, il y a un appel marqué à l'aventure fantastique, appuyé par presque toutes les autres tendances. Le succès des Bacardi Breezers ne nous a pas étonnés. En reliant vos idées, projets, entreprises, plans, aux techniques d'analyse de la conformité aux tendances, vous pouvez vous aussi vous épargner bien des surprises. La première étape consiste à maîtriser une technique que nous appelons l'essai universel.

L'essai universel

L'analyse des idées à travers un filtre des tendances est pour nous plus qu'une méthodologie: c'est notre manière d'observer le monde. Nous avons établi une manière presque instinctive d'analyser les tendances et que nous appelons l'«essai universel» — chaque fois que nous lisons une annonce publicitaire, changeons de poste de télé, entrons dans une nouvelle boutique ou regardons une affiche, nous y faisons immédiatement appel. C'est une sorte de sténographie de l'ACT — analyse de la conformité aux tendances. Elle ne nous aide pas seulement à évaluer les possibilités en fonction des tendances mais aussi à voir naître les tendances. C'est en outre un moyen de scruter la culture — un genre de technique de lecture rapide — nous permettant de classer l'avalanche d'informations qu'on nous sert quotidiennement.

Pensons par exemple à ceci: l'Américain moyen est confronté à près d'un quart de million d'annonces publicitaires chaque année, à d'innombrables heures d'écoute de la radio, de la télévision et de conversations (nos propres conversations et les bribes que nous entendons ou surprenons), de plaisanteries, chansons, revues, journaux, livres, babillards, menus, catalogues, sollicitations postées, publipostages nous annonçant que nous venons de gagner un million de dollars, des notes, lettres, cartes postales d'ici et d'ailleurs. Et il n'est question que de *langage*. Que dire de la parade visuelle: la mode dans les rues, les vitrines des boutiques, les édifices, les automobiles, les animaux, les *miroirs*! (Que pouvez-vous apprendre de votre *propre* comportement?) Personne ne peut assimiler toute cette information. Nous en rejetons la majeure partie, grâce à un mécanisme inconscient quelconque de filtrage ou autre — nous concentrant sur les choses qui, selon nous, concernent notre vie, mettant de côté celles que nous croyons non pertinentes.

En bout de ligne, nous avons tendance à prêter attention au familier — aux choses que nous connaissons déjà. La plupart d'entre nous se concentrent sur les choses inappropriées. En utilisant l'essai universel pour classer les informations, vous commencerez à reconnaître que des facettes de l'information à prime abord sans rapport avec vous ont en fait tout à voir avec vous — et votre entreprise.

Vous serez en mesure de voir votre avenir.

Prenez la simple lecture des journaux. Supposons que vous êtes propriétaire d'une petite chaîne de magasins vendant des disques compacts et des cassettes dans trois États américains. Vous êtes réputé pour votre large éventail de choix et votre empressement à placer des commandes spéciales pour les consommateurs en quête d'enregistrements rares.

Un jour de 1990, vous lisez, comme nous, le journal et tombez sur une annonce pleine page ne pouvant échapper à personne. Il s'agit d'une annonce de Waldenbooks, présentant son nouveau service appelé «liste des choix du lecteur», offrant des rabais spéciaux aux membres, un service téléphonique sans frais pour les commandes et d'autres services aux clients disposés à débourser une cotisation annuelle minime. Vous vous dites que ce programme de recherche de livres est fort intéressant puis vous allez à la section des spectacles pour connaître les dernières nouveautés en matière de musique.

Une occasion ratée.

Ou alors vous filtrez l'annonce au moyen de l'essai universel et vous constatez la merveilleuse conformité de ce nouveau programme de Waldenbooks avec les tendances.

Cocooning: vous commandez de la maison. *Aventure fantastique*: une façon plus simple de commander des livres vous permet d'autant mieux de vous livrer à vos lectures. *Petites gâteries*: une petite cotisation en échange de privilèges spéciaux constitue la petite gâterie *par excellence*[41]. *Égonomie*: vous êtes membre d'un club spécial; vos besoins et vos goûts personnels sont reconnus et satisfaits. *Vies multiples*: une façon efficace d'avoir accès à l'information et à la méthode d'acquisition.

Vous vous dites que ce programme est fantastique. Il accroît l'entreprise tout en la propulsant vers l'avenir en matérialisant

---

41. En français dans le texte. (N.D.T.)

cinq (comptez-les) tendances. La firme Waldenbooks est toujours dans le domaine du livre, mais elle s'est aussi brillamment associée au monde de la technologie informatique. C'est là que se trouve l'avenir.

Avec de l'astuce, vous devancerez les compétiteurs de votre magasin, vous serez le premier à devenir une entreprise de service/information, avec une liste des choix des auditeurs, des rabais spéciaux aux membres, un système de commande téléphonique sans frais, vingt-quatre heures par jour, de même qu'une livraison rapide. Peut-être offrirez-vous des cartes de membres spéciales de type aventure fantastique. Ou des adhésions à la musique d'ambiance, des directives d'exercices, de soulagement du stress ou d'autohypnose pour les auditeurs qui ont besoin d'aide pour rester en vie.

Prenons un autre exemple. Vous êtes propriétaire d'une pharmacie. Vous commencez à remarquer, sur les babillards des laveries et à l'endos du journal étudiant local (un bon point pour vous — vous ne vous contentez pas de lire la revue *Drug Store Age*), qu'il semble y avoir bien des activités non traditionnelles de type corps/esprit dans des coins «normaux». Des cours de yoga se donnent au foyer de retraités de la région; un groupe du voisinage a organisé des séances hebdomadaires de «chant». Vous écoutez une conversation dans un bistrot local au sujet d'une femme pouvant guérir les rhumes par un massage des pieds. Vous voyez un prospectus annonçant que pour seulement 10 $ vous pouvez obtenir un massage anti-stress de vingt minutes à votre centre de santé. Tout cela semble très loin de votre entreprise fondée sur le dentifrice et le Tylenol.

Bien au contraire. Considérant l'apparition de ce phénomène local, vous constatez le croisement de plusieurs tendances. Ce que vous auriez probablement ignoré ou méprisé par le passé, vous l'étudiez maintenant attentivement à l'aide de l'essai universel.

Rester en vie: c'est certain. Tous ces explorateurs recherchent une santé meilleure et une longévité accrue. *Égonomie*: la «médecine non traditionnelle» représente une affirmation majeure de la personnalité. Elle signifie que vous avez choisi, parmi toutes les options du monde, de trouver la réponse individuelle vous convenant parfaitement. *Aventure fantastique*: vous faites l'expérience de cultures exotiques, de philosophies orientales. *Petites gâteries*: un massage à 10 $! *Retour en enfance*: il y a une certaine impression de retour aux années soixante dans tout cela. *Vies multiples*: tout effort en vue de réduire le stress rejoint cette tendance. Sans compter le *cocooning*: tout groupe local se réunissant pour chanter à l'unisson est un exemple parfait du *cocooning* social du nouvel âge.

Quelle est votre réaction? Vous commencez à envisager des moyens d'ouvrir votre commerce à la médecine nouvel âge. C'est peut-être aussi simple qu'un «rabais» sur les tisanes dans la section des remèdes pour le rhume. C'est peut-être aussi ambitieux que d'organiser le soir à votre magasin, des petits groupes de discussion sur la médecine holistique et le bien-être: comment *éviter* la consommation de médicaments. Un geste suicidaire? Non! Non, parce que le bien-être est la vague de l'avenir. Non, parce que vous avez ouvert la voie à deux marchés plutôt qu'à un seul.

L'utilisation de l'essai universel peut devenir aussi instinctive pour vous qu'elle l'est pour nous. C'est une méthode sténographique de classement de ce qu'il vous faut savoir au sujet du monde — de canalisation de cette information en une direction précise conforme aux tendances afin d'en faire profiter vos affaires, votre entreprise, votre vie.

Élaboration en fonction des tendances

Définition: processus consistant à élaborer votre produit ou
votre stratégie en fonction des tendances naissantes.

L'élaboration de votre produit en fonction d'une tendance est
comparable à l'affrontement d'un vent arrière. On peut se placer
de telle façon que son énergie nous propulse rapidement.

ou

L'élaboration de votre produit en fonction d'une tendance se
compare au fait de s'agripper à la crinière d'un cheval alors qu'il
passe successivement du pas, au trot, au petit galop puis au grand
galop. Si l'on réussit à se tenir sur son dos, on avance très vite.

Le secret de l'élaboration en fonction des tendances consiste
à découvrir ce que les tendances ont en commun avec les qualités intrinsèques de votre produit, pour ensuite les associer à votre produit ou stratégie.

Notre travail (au début des années quatre-vingt) sur la douche-massage de Teledyne en fournit un exemple. Ces pommeaux
de douche se vendaient au début très bien mais les ventes
étaient depuis lors en baisse constante. À partir de nos entrevues, nous avons découvert que les gens ne se préoccupaient
guère du genre de pommeau de douche qu'ils avaient (à moins
d'être en train de se construire une maison ou en période de ré-
novation). Une fois installés, les pommeaux de douche font tout
simplement partie de la réalité. Les consommateurs connaissaient
si peu le produit que plusieurs ne se souvenaient même pas posséder déjà une douche-massage dans leur salle de bain. Ils se
servaient en outre rarement de ses mécanismes de réglage.

À cette époque, les trois tendances pertinentes au produit
étaient la recherche de bien-être (évolution de la recherche de san-
té/bonne forme et qui devait plus tard devenir la tendance à vouloir

rester en vie), la gestion du temps (la fin de la décennie 1980 la ver-
rait se transformer en tendance aux vies multiples), et le *cocooning*
(dans sa deuxième décennie). La recherche de bien-être et la gestion du temps étaient toutes deux des tendances reliées au problème croissant du stress. Notre recherche de bien-être nous apprit
les effets meurtriers du stress et la gestion du temps nous fit comprendre que l'accélération nous stressait davantage. Le *cocooning*
était une adaptation naturelle, puisque les consommateurs cherchaient un abri sûr pour fuir tout cela.

Avec ces données en main, nous avons adapté la douche-massage aux *trois* tendances pertinentes et l'avons présentée comme l'ultime moyen domestique de combattre le stress. Le produit de détente
du corps — réducteur de tension. Un ajustement parfait aux tendances. L'annonce publicitaire créée par DDB Needham West traduisit nos
conclusions en montrant un cadre supérieur assailli de toutes parts, si
pressé d'atteindre la sérénité qu'il se précipitait tout habillé sous sa
douche-massage. Ce Noël-là, les ventes ont été extraordinaires.

En nous fondant sur les tendances à rester en vie et vies multiples, nous avons récemment modifié la raison sociale d'une
chaîne de restaurants de prêt-à-manger, de Good Fast Food (bonne nourriture rapide) à Good Food Fast (bonne nourriture rapidement). Durant les années quatre-vingt-dix, les consommateurs
voudront tout autant bien manger que manger dans un délai raisonnable. C'est de «bien» manger qui est la nouveauté.

Un autre exemple: Stanley Tools voulait commercialiser un coffre
d'outils pour bricoleurs d'occasion. Quel nom devrait-on lui donner?
Que devrait-il contenir? Était-il destiné exclusivement aux femmes?

Les tendances que nous avons associées à leur projet furent
celles des vies multiples, de l'égonomie et du *cocooning*. La
trousse que nous avons conçue, de même dimension qu'une
mallette, était élémentaire, pratique et facile d'emploi (vies multiples) tout en étant personnalisée et composée de produits de
qualité (égonomie); elle devint un article essentiel pour les gens
vivant en appartement *(cocooning)* et pour toute personne (homme
ou femme) se lançant dans le bricolage.

C'est donc le nom que nous lui avons donné: Essentials, de
Stanley. Et c'est ce qu'ils ont fabriqué.

Associez votre produit aux tendances et le succès viendra à
vous.

L'exercice des extrêmes

Chez BrainReserve, nous ne travaillons jamais en vue d'une solution — nous allons toujours au-delà. Nous poussons un problème à sa limite, à sa pire possibilité. Nous allons aux extrêmes. Nous laissons ensuite les tendances nous aider à revenir à la solution. C'est l'approche des extrêmes, et elle convient à n'importe quel problème.

Si vous utilisiez les extrêmes pour une chaîne de restaurants prêt-à-manger servant des hamburgers, vous remarqueriez d'abord que les gens consomment moins de viande rouge. Que faire alors? Si vous alliez de l'avant, vers une solution rapide et facile, vous feriez ce qu'ont fait la plupart des chaînes de restaurants prêt-à-manger: diversifier votre menu par la promotion de sandwiches de poulet ou de poisson frit, ou ajouter un comptoir à salades.

Un an, deux ans ou cinq ans plus tard, vous seriez probablement confronté à d'autres problèmes: les gens se soucient maintenant de la salmonelle dans le poulet et des dangers pour la santé associés au poisson. Ils craignent en outre le manque d'hygiène et les pesticides possibles dans les salades. Vous vous rendez compte que la viande rouge n'était que le symptôme d'un plus grand problème: les gens se préoccupent sur toute la ligne de ce qu'ils mangent — et par conséquent de ce que vous servez. C'est le retour à la case départ.

La première chose à faire est d'affronter le problème (les gens consomment moins de viande rouge) et de se projeter à une époque à laquelle les gens ne mangeront *plus* de viande rouge, de poulet ni de poisson. Imaginez que chacun est devenu végétarien. Improbable? Peut-être. Est-ce non pertinent pour une chaîne de prêt-à-manger servant des hamburgers? Non.

Demandez-vous alors: «Que faire maintenant?»

Réponse: Il vous faut retourner au présent, à la solution. Vous pourriez à la limite devenir la première chaîne de prêt-à-manger ne servant que des plats végétariens, comme des assiettes de légumes grillés ou des pizzas aux légumes. Vous ne serviriez pas de viande (une occasion d'affaire qui enrichira certainement quelqu'un au cours de cette décennie).

Partant du point le plus éloigné pour revenir au présent, vous ne risqueriez rien à offrir des plats végétariens en plus des hamburgers. De bonnes recettes originales et internationales comme des nacho-hamburgers, des hamburgers végétariens au pain de blé entier, ou des hamburgers aux légumes sautés à la mode orientale (les Sheraton, Disneyland et les Hard Rock Cafes servent présentement des hamburgers potagers: oignons, avoine, riz brun, fromage maigre, blancs d'œufs et noix, le tout contenant la moitié de calories et 80 pour cent moins de gras que le hamburger ordinaire). En étant prêt pour le «virage vert», vous aurez alors tout le loisir de lancer une ligne de produits végétariens dès que le public commencera à en réclamer à cor et à cri.

Ce serait là une mesure intelligente. Une mesure appropriée. En travaillant sur le présent à partir du pire scénario, voici comment les tendances traceraient l'itinéraire. Les chaînes de prêt-à-manger devraient réfléchir à ce que nous disent les tendances à propos de ce que voudront les gens — rester en vie (nourriture plus saine); petites gâteries (de bons petits extras peu coûteux); aventure fantastique (des saveurs sortant de l'ordinaire, de la variété); vies multiples (gain de temps, rapidité). Si nous voulons nous plier à la tendance de l'égonomie (personnalisation et qualité), nous pourrions faire l'essai d'un hamburger de filet mignon de première qualité (plus petit et plus riche). Utilisées à bon escient, les tendances peuvent susciter un plein éventail de choix et d'occasions.

Si vous êtes un professionnel en difficulté ou qui en est à ses débuts, faites l'exercice des extrêmes. Laissez les tendances favoriser l'élaboration du chemin à suivre.

— Vous êtes avocate mais votre région compte un nombre excessif d'avocats compétents qui facturent tous des honoraires élevés. Poussez cela à l'extrême: que feriez-vous si personne ne vous embauchait ou si personne ne pouvait se payer vos services?

Vous pourriez devenir une sorte de sage-femme juridique, facturant moins pour des problèmes courants (départ monnayé/égonomie). Élargissez l'idée: vous pourriez instaurer un service de consultations téléphoniques, demandant encore moins cher à vos clients pour leur fournir au téléphone des conseils simples (vies multiples). Vous deviendriez l'avocate de choix, dont la plupart des gens ont besoin.

— Ou alors vous êtes médecin et faites face à un scénario similaire. Les coûts sont élevés, le service laisse à désirer. Entre l'assurance pour négligence criminelle et l'assurance médicale des patients, la profession semble accorder plus d'importance à l'argent qu'aux soins. Les hôpitaux font faillite. Poussez cela à l'extrême: tout le système s'écroule; les gens ne peuvent plus obtenir de soins en période de crise médicale.

Que faire? Vous pourriez fonder une chaîne de cliniques Docteur Grandcœur en association avec des médecins partageant vos idées. Un équipement moderne mais un espace fonctionnel. Un personnel restreint comptant plus d'assistants médicaux que de médecins. Les budgets seraient étroitement surveillés. Vous essaieriez de faire ce que faisait le médecin de campagne: laisser les gens se présenter sans rendez-vous ou vous appeler (ou selon le style des années quatre-vingt-dix — communiquer avec vous par ordinateur ou par télécopieur), pour obtenir des conseils et de la compassion. Dans certains cas, vous prescririez des herbes médicinales plutôt que des pilules et feriez des consultations à domicile. Et pour les cas plus graves, vous indiqueriez aux patients où aller pour obtenir les meilleurs soins. (Les tendances à l'œuvre: départ monnayé, vies multiples, S.O.S., égonomie.)

L'exercice des extrêmes donne de bons résultats, que vous soyez un petit producteur de pommes de terre ou un géant des affaires.

— Un cas plus complexe: supposons que vous êtes un fabricant d'automobiles américaines et que votre chiffre d'affaires soit à la baisse. L'extrême: personne ne voudra plus de votre modèle.

Encore une fois, laissez les tendances vous guider. Une option consisterait à créer un modèle associé à l'aventure fantastique et représentant une petite gâterie aux yeux des personnes ayant monnayé leur départ et n'ayant pas besoin de se déplacer très loin. Avec l'un de mes amis œuvrant dans le secteur de l'automobile japonaise, nous avons un jour conçu une auto baptisée du nom fantaisiste de PopSui, dont la vente et l'entretien devaient être assurés par les supermarchés. La carrosserie de l'automobile se montait par boutons-pression et les sièges étaient interchangeables — avec un choix illimité de couleurs comprenant même des taches de dalmatien ou des zébrures (petites gâteries, retour en enfance). Il y aurait toujours en magasin un stock de pièces détachées élémentaires. La PopSui (aventure fantastique) serait fantastique en ce qui concerne la consommation d'essence (S.O.S.), elle serait facile à réparer (vies multiples) et coûterait exactement 3 000 $ ou 2 pour 5 000 $. (La voiture expérimentale de l'avenir pour la compagnie Ford, la Ghia Zag, ressemble beaucoup à la PopSui.)

Dernier exemple d'extrême: vous êtes le ministère du Revenu. Vous êtes déjà à l'extrême: tout le monde vous déteste. Les gens font tout pour éviter d'avoir affaire à vous. S'il y a moyen de tricher ou de ne pas déclarer un petit revenu imposable, les gens le font. On n'est guère scrupuleux quand il s'agit de vous cacher des informations (ou de l'argent).

Que faire? Vous humanisez l'organisation. Vous nommez des représentants spéciaux (un genre de médecins fiscaux) au service des contribuables, des banquiers personnels comme cela se fait en Angleterre. Vous améliorez la qualité de vos services; votre ligne téléphonique sans frais fonctionne vingt-quatre heures par jour (vies multiples) et lorsque les contribuables vous appellent pour avoir de l'aide dans leur déclaration, vous les aidez réellement. Vous nommez un cadre supérieur à titre de porte-parole du ministère du Revenu; il ou elle passera à la télévision en janvier, février et mars pour donner au public les renseignements mis à jour concernant l'impôt (égonomie). Vous simplifiez les formulaires d'impôt — réellement cette fois-ci. Par-dessus tout, vous établissez une liste de contrôle et laissez les contribuables choisir les secteurs auxquels serait attribué leur argent — à l'éducation, aux sans-abri, à l'environnement, à la toxicomanie (S.O.S.)... ou même à la guerre des étoiles.

Nous ne le dirons jamais assez: rendez-vous à l'extrême et laissez les tendances vous ramener à la réalité. Cette méthodologie fonctionne. Vous aboutirez à un produit, à un service ou à une nouvelle présentation convenant parfaitement à l'époque et à l'endroit. C'est un peu comme ce que répliqua Wayne Gretzky, le célèbre joueur de hockey, lorsqu'on lui demanda le secret de sa performance: «Je suis la rondelle là où elle se dirige et non pas là où elle se trouve ou se trouvait.»

Ce que nous voyons venir maintenant n'est pas le fruit d'un bond de l'imagination vers l'avenir.

C'est simplement *ce qui s'en vient.*

La déformation du connu

Par une chaude journée d'été, alors que nous regardions les gens passer, on aurait cru que tous les hommes, les femmes et les enfants avaient un cornet de crème glacée. «Comme le cornet est une bonne idée, pensions-nous, comme c'est commode!» Ces petits gobelets n'ont pourtant guère changé depuis leur création lors de l'Exposition universelle de Saint-Louis en 1904.

Pourquoi ne pas élargir ce concept pratique de la nourriture qu'on tient à la main? Fabriquer des cornets de taco que l'on garnit ensuite de sauce chili? Ou des cornets croustillants à base de riz et bourrés de chow mein chinois? Ou des cornets faits de muffin anglais et contenant du beurre d'arachide et de la confiture, du fromage et des oignons ou même une omelette aux herbes?

Voilà en quoi consiste déformer ce qui est familier. La routine confortable transformée en quelque chose de nouveau. La nouveauté sans danger. C'est une façon de construire à partir de ce que le consommateur connaît déjà et apprécie, sans enlever aucun des avantages associés ordinairement à un produit préféré.

Pensez aux McCroquettes de MacDonald (le poulet frit très populaire apprêté en bouchées faciles à manger). Ou aux biscuits Graham de Nabisco en forme d'oursons (une double déformation: le charme de l'ourson rehaussé de la saveur des biscuits Graham et vice-versa). De bons moyens d'amener tranquillement le consommateur méfiant vers de nouveaux produits.

La déformation du connu peut aussi se faire par exagération de la norme. Le syndrome d'Alice au pays des merveilles.

- Des portions géantes, comme d'énormes muffins en forme de champignons ou des biscuits de la grosseur d'une assiette.

- Des portions miniatures comme les bouchées-pizzas, les mini-tablettes Mars à la crème glacée, les légumes miniatures, les machines pour un seul café espresso, les robots culinaires minuscules.
- Des couleurs nouvelles et différentes, comme pâte tomatée, pâte ébène, piments blancs, malaxeurs vert chasseur Kitchen Aid, gin saphir bleu.
- Un nouvel emballage comme les cartons de jus très populaires ou la mayonnaise européenne en tube semblable à celui du dentifrice (pourquoi pas des tubes de vinaigrette ou de salsa?).

Le principe central de la déformation du connu est que le monde de la consommation ne doit pas nécessairement demeurer tel qu'il est. Il n'y a pas d'absolu. L'astuce consiste à contester les présuppositions et à modifier les règles du jeu.

Sachant qu'il y a autant d'adeptes du «sucré» que du «salé», considérez alors certaines des sucreries traditionnelles et demandez-vous pourquoi elles sont ainsi. Pourquoi toutes les friandises glacées sont-elles sucrées? Au lieu du chocolat et de la noix de coco à la banane, pourquoi pas du jus de légumes congelé sur un bâtonnet? Pourquoi les yogourts à base de fruits sont-ils pour la plupart sucrés avec de la confiture? Pourquoi pas des yogourts rafraîchissants au concombre/menthe ou aux légumes croustillants pour le lunch ou la collation? Et ces diètes liquides qui remplacent les repas, pourquoi vous faudrait-il boire un dîner au chocolat sucré, à la vanille ou à la fraise? Pourquoi pas basilic et tomates, poulet aux herbes ou champignons sauvages, qui se rapprochent plus de la soupe?

Cela fonctionne également en sens contraire. Pourquoi la plupart des gommes à mâcher sont-elles épicées (à la cannelle) ou rafraîchissantes (à la menthe) ou conçues pour les enfants (gomme à bulles). N'y aurait-il pas la possibilité d'une supergomme à mâcher au chocolat (Godiva sans sucre), d'une gomme orange expresso ou cappucino?

Étudiez les habitudes alimentaires populaires et vous trouverez probablement des déformations du connu. Au petit déjeuner, bien des gens mangent des muffins généreusement recouverts de beurre et de confiture. Pourquoi ne pas se simplifier l'existence — et fabriquer des muffins à cuire au four micro-ondes et garnis au centre d'une noix de beurre ou de confiture ou de tartinade au chocolat? Ou fabriquer des barres tendres aux céréales avec un centre au lait ou à la crème?

Si plus de gens préfèrent les hors-d'œuvre aux plats principaux, essayez de créer un dîner surgelé composé d'entrées diverses. Que dire en outre d'ajouter au ketchup traditionnel des morceaux de tomates séchées pour en modifier la texture ou des piments jalapeño pour lui donner un goût relevé. (Au fait, c'était une déformation parfaite du connu que de mettre, il y a quelques années, le ketchup, la moutarde et la relish dans des contenants de plastique que l'on presse.)

- Pourquoi le shampooing est-il toujours en bouteille? Pourquoi pas en barre, comme le savon?
- Pourquoi les céréales ont-elles toujours un emballage double, un sac à l'intérieur d'une boîte? Pourquoi pas seulement le sac, comme les biscuits Pepperidge Farm? Ou des boîtes de métal comme pour les croûtons de pain? Ou dans de gros sacs de toile comme à l'époque des sacs d'avoine et de riz? Et comment se fait-il que personne n'ait encore réalisé que les grains de céréale sont vaporisés de pesticides? Bonne raison de lancer une céréale de culture organique.
- Est-il vraiment nécessaire d'emballer les produits? Pourquoi faut-il placer deux cartons protecteurs recouverts de plastique sur chaque disque compact qui a déjà son propre étui de plastique? La même chose vaut pour la plupart des produits de beauté.
- Pourquoi les grosses enveloppes brunes matelassées ne sont-elles pas dotées de fermetures réutilisables?
- Pourquoi les appareils photo ne sont-ils pas miniaturisés comme les calculatrices afin que l'on puisse les mettre dans nos portefeuilles? Ou pourquoi ne pourraient-ils pas se transformer en baladeur? Pourquoi n'existe-t-il pas d'appareils photo dotés d'un minimagnétophone de manière à pouvoir identifier chaque photo (idéal pour les agents immobiliers, les évaluateurs en assurance, etc.)?
- La déformation du connu se fait en laissant votre imagination errer sur le marché. Il faut se libérer des idées statiques du genre «il en a toujours été ainsi». Il s'agit d'observer attentivement chaque chose pour voir ce qui devrait être recréé en vue de la prochaine décennie.

C'est recréer les choses en vue d'un monde meilleur.

QUATRIÈME PARTIE

TIRER PROFIT DES TENDANCES

OBSERVATIONS ET MISES EN APPLICATION

*La confiance en la boule de cristal ne devrait pas excéder
la distance où on peut la lancer.*

L'expertise de l'avenir

Personne ne sait (exactement) comment se présentera et se déroulera l'avenir, mais les tendances nous y mènent avec une énergie presque tangible. Le changement principal sera qu'au cours de cette décennie et durant le prochain siècle, nous ne serons plus les mêmes consommateurs.

La consommation a eu raison de nous. Nous sommes nombreux à être personnellement endettés bien au-delà de nos capacités. Si nous persistons dans cette voie, notre avenir et celui de nos enfants sera ruiné. Si nous changeons — réduisons, choisissons avec plus de discernement, inversons nos priorités en optant pour la qualité plutôt que pour la quantité —, nous serons alors, selon les mots de Darwin, plus aptes à survivre.

Considérez les prochains chapitres comme des *cours d'administration de l'avenir*, qui expliquent comment le monde de la consommation se modifiera au fur et à mesure que les tendances changeront nos raisons d'acheter de même que la nature de nos achats.

Ces leçons nous montreront à quel point il sera difficile de rejoindre le nouveau consommateur (tout en fournissant des moyens précis d'y parvenir). Elles parleront de la révolution qui marquera la fin des achats et de la publicité sous leur forme actuelle. Elles montreront en outre comment les agents de marketing qui réussissent peuvent employer des stratégies plus humaines et mieux adaptées aux réalités difficiles de demain. (Les gens dépenseront en fonction de leurs valeurs morales.)

Les leçons d'administration de l'avenir enseigneront aux agents de marketing (toujours à quelques pas derrière) à comprendre les désirs des consommateurs de demain.

Elles enseigneront en outre ce qu'il faut faire dès *maintenant* pour rattraper le temps perdu.

La prévention en affaires:
Votre première ligne de défense

Juste avant d'abandonner un comportement, les consommateurs s'y livrent à fond. (En s'empiffrant, par exemple, juste avant d'entreprendre un régime.) Voilà ce que nous avons dit à l'un de nos clients, une entreprise de cartes de crédit, persuadé que la consommation excessive de l'année précédente augurait bien pour l'avenir. C'était en fait le contraire.

Les entreprises qui ont profité de l'hédonisme fiscal des années quatre-vingt ont raison de s'inquiéter. Le monde de la consommation s'est modifié.

Même si les profits de son entreprise avaient connu une baisse minime, notre client voulait parler de l'avenir des cartes de crédit. L'entreprise prévoyait que les habitudes de dépenses du consommateur seraient plus ou moins les mêmes — avec seulement une baisse occasionnelle. Mais pour s'assurer de l'exactitude de ses calculs, l'entreprise voulait qu'on lui parle des tendances, de manière à pouvoir considérer l'avenir sous tous ses angles. Démarche astucieuse.

Ce que notre client était en train d'observer était en fait la dernière rage d'achats de réserve avant le grand retrait des consommateurs. Les consommateurs ne faisaient que se constituer des inventaires. C'est alors que cessèrent brusquement les achats.

L'Amérique est entrée dans une phase que nous appelons «décession» — une consommation de récession avec une mentalité de dépression. La consommation de récession se présente depuis quelques années sous forme de cycles prévisibles. La mentalité de la dépression est toutefois un facteur nouveau. Un sombre changement de la psychologie du consommateur, comme à l'époque des années trente.

Les consommateurs gardent l'argent qu'ils possèdent, préférant l'équilibre de leurs ressources à la dépense. Finis les achats «impulsifs». Plutôt que de dire «voilà un beau chandail et je n'en ai pas de cette couleur», ils se disent maintenant «j'ai suffisamment de chandails et je n'en ai pas besoin». Même si l'on solde les articles, le consommateur de la décession n'en veut tout simplement pas, peu importe le prix.

Pas d'achats, pas d'utilisation de la carte de crédit. Il peut en résulter une baisse importante de l'usage de la carte de crédit d'ici quelques années.

Pour minimiser la baisse et maximiser ses forces, notre client devait se poser les questions suivantes: Comment valoriser le système de crédit?, Comment concilier le crédit et la sensibilité de décession?

Autrement dit: *Comment restructurer une entreprise fondée sur les dépenses du consommateur?*

Pour une entreprise axée sur le crédit, il s'agit de mettre l'accent sur autre chose: une réorientation consistant à passer de l'intérêt de la compagnie à l'intérêt du consommateur. Plutôt que de participer au marasme économique et au report excessif des échéances aux États-Unis, les entreprises de crédit devraient se consacrer au bien-être économique de l'Amérique. Elles devraient résoudre la crise d'endettement à la consommation. Elles devraient élargir le concept contemporain du crédit pour y inclure d'abord le contrôle du crédit, puis la planification du crédit.

Comment? En fournissant à chaque consommateur des services financiers autrefois réservés aux personnes riches — par exemple des conseils pour choisir les meilleurs investissements, les comptes bancaires aux meilleurs taux ou un plan de retraite sûrs. Pour plus de commodité et de sécurité, la consultation pourrait avoir lieu dans le cocon (par téléphone, télécopieur, ordinateur — ou par le courrier).

Les entreprises de cartes de crédit devront apprendre à *rivaliser* pour le dollar. En offrant des primes. American Express a lancé un régime d'épargne-retraite. Elle portera à votre compte un montant spécifique chaque mois et vous versera 10 pour cent d'intérêt, montant substantiel — pour l'instant.

Pourquoi une entreprise de cartes de crédit s'empêcherait-elle d'offrir un taux préférentiel à la cliente versant son remboursement d'impôts au plan d'épargne-études de son enfant de deux ans? Ou aux consommateurs qui règlent rapidement leurs factures? (Tous les petits montants s'additionnent: à l'expiration annuelle de la carte, la compagnie Discover donne un petit remboursement en espèces sur les achats — jusqu'à 10 pour cent.)

C'est le principe de la prévention en affaires qui est ici à l'œuvre. Il s'agit de présenter de bonnes solutions commerciales pour *prévenir* les erreurs stratégiques ou le comportement de l'autruche face aux changements du monde de la consommation. La prévention peut se faire en restructurant le produit offert par l'entreprise ou tout simplement en diversifiant ses produits. Agir avant que ne s'abatte le désastre.

— Kodak fait de la prévention par son expansion vers la technologie du laser et de l'informatique. Si la photo imprimée perd de l'importance, cette entreprise pourra malgré tout faire des affaires. De bonnes affaires — des photos imprimées aux imprimantes, avec Ektaplus 7016, qui convient parfaitement au travail à domicile. (Le nom laisse à désirer — Ektaplus évoque un peu trop platypus[42].)

— Estée Lauder, en inaugurant le premier magasin Origins, commence à donner aux consommatrices un lieu de magasinage plus commode et plus personnalisé que les magasins à rayons plutôt encombrés.

— Philip Morris, par sa diversification et l'achat des entreprises Kraft et General Foods, a protégé sa rentabilité future. Tout le monde doit manger.

— Time Warner, Inc., en s'infiltrant dans le marché du vidéo domestique, se joint à un monde plus récent et plus rapide que celui des revues.

Il n'est pas toujours facile de faire de la prévention en affaires, d'aller vers les succès potentiels et de risquer la faillite. Mais en suivant les tendances, il est plus facile pour une entreprise de modifier son point d'ancrage et de redémarrer dans de nouveaux secteurs.

---

42. Platypus signifie ornithorynque. En français, on pourrait dire que le nom Ektaplus évoque plutôt ectoplasme. (N.D.T.)

IBM, comme nous le savons tous, a bâti son empire en se spécialisant dans les ordinateurs de bureaux. Mais elle avait prévu judicieusement que l'utilisation domestique (départ monnayé) constituerait un secteur en forte expansion. C'est ainsi qu'elle a conçu le PS/1, un produit facile à utiliser et beaucoup plus simple à installer (il n'a que deux prises de courant). En travaillant avec Tony Santelli d'IBM, BrainReserve avait contribué à la mise en marché de cet ordinateur; par la création d'un langage (la langue courante plutôt que le jargon de l'informatique) et par une approche accessible à des consommateurs néophytes.

On peut aussi considérer les entreprises actuelles et prévoir leurs «mesures préventives» face à l'avenir.

Supposons par exemple qu'un nombre toujours croissant de gens recherchent uniquement les aliments frais (rester en vie). Les fabricants de soupes en conserve, tout en comprenant le désir de fraîcheur de la part des consommateurs, auraient bien du mal à offrir un produit quotidien ou bihebdomadaire (coût élevé, beaucoup de déchets). Mais une solution de rechange mûrement réfléchie, par exemple mettre la soupe dans des bocaux (à l'exemple des Français, pour plus de saveur sans l'arrière-goût du métal), pourrait faire office de «prévention». (Les sauces constitueraient le prolongement naturel de cette ligne de produits.)

Ou prenons le cas de Federal Express, réputé pour son service de livraison fiable (inévitablement touché par la popularité croissante du télécopieur), qui pourrait se servir de son expertise et la convertir en livraison à domicile (épicerie, magasin de vente au rabais) — un service qui prendrait vos commandes et les apporterait rapidement à la maison.

Les Japonais ont une intuition culturelle en matière de prévention et sont passés maîtres dans l'art de devancer de quelques années les autres. Prévoyant que le tape-à-l'œil à l'extérieur serait contraire à l'idée du prestige durant les années quatre-vingt-dix, le dernier modèle Toyota concentre tout le luxe à l'intérieur de la voiture.

Voilà des exemples essentiellement contraires au principe de l'autruche: garder la tête haute et hors du sable.

Ne pas craindre ce qui vient, c'est pratiquer la prévention, bravement et librement. Car la peur de l'avenir ne peut conduire qu'à l'échec.

La ligne téléphonique 1000: une aide véritable, vingt-quatre heures par jour

La démarcation entre la vente et le service s'estompe. Les consommateurs veulent des renseignements et les veulent rapidement.

La ligne téléphonique sans frais de 1 800 vise à donner rapidement aux consommateurs des réponses simples. Les entreprises d'aujourd'hui sont pratiquement obligées d'en posséder une (pour ne pas se voir déclassées). En toute équité, il faut dire que certaines des lignes 1 800 fonctionnent bien — ce sont d'habitude celles axées sur la vente. Il existe un nombre déterminé de questions ordinairement posées par courrier direct et les standardistes ont en général la formation pour y répondre.

Certaines des lignes 1 800 des compagnies aériennes sont elles aussi efficaces, sauf aux heures d'achalandage maximum, quand les voyageurs frénétiques ont besoin d'informations le plus rapidement possible, les lignes sont alors littéralement surchargées.

Les gens veulent maintenant une ligne 1 800 personnelle — une autre manière d'appeler encore plus souvent «à la maison».

Le but premier de la ligne 1 800, qui était d'aider les consommateurs à obtenir des informations sur les produits des entreprises, est souvent compromis par son inefficacité. Les consommateurs insatisfaits se retrouvent plus frustrés et fâchés *après* avoir utilisé une ligne 1 800 pour obtenir de l'aide.

Après une lecture complète des articles traitant du rappel de Perrier, une amie enceinte appela au numéro 1 800 d'une entreprise rivale pour demander s'il y avait ou non danger pour elle de boire leur eau minérale. La téléphoniste n'avait même *jamais* entendu parler des problèmes de Perrier et ne put absolument pas apaiser les craintes de son interlocutrice. Fin de la discussion. Perte d'une cliente.

L'histoire n'est pas terminée. Mon amie appela alors au numéro 1 800 de la compagnie Perrier. La téléphoniste de la ligne ouverte de Perrier ne savait même pas ce qu'était le benzène (la cause du rappel) et encore moins qu'il représentait un danger pour la santé. Impardonnable.

Les consommateurs n'oublient pas ce genre de mésaventures et se les racontent entre eux: une situation qui ne profite guère aux entreprises.

Il vaut mieux, dans les années quatre-vingt-dix, ne pas négliger la ligne 1 800, le principal accès pour le consommateur. Quand elle offre un bon service, la ligne 1 800 est le meilleur moyen de diffuser l'information et de faire preuve de sens moral. Un échange verbal ouvrant le dialogue avec les consommateurs, de façon individuelle.

Tous les gestionnaires devraient se faire un devoir de surveiller de près leur ligne téléphonique 1 800. Je dirais même que les plus hauts dirigeants devraient y répondre de temps en temps. C'est une bonne formation. Après un moment passé à ce service, ils comprendraient que la ligne 1 800 est un excellent *atout*, un lien direct avec la clientèle. Elle n'est pas qu'une dépense à subir parce que tous les compétiteurs en ont une.

Les lignes 1 900 semblent offrir plus d'attention et un meilleur service — sans doute parce que le consommateur débourse les frais d'appel. Même si plusieurs de ces lignes existent pour des motifs «valables», les numéros 1 900 sont malheureusement et irrévocablement associés aux lignes à caractère sexuel et aux conversations, de sorte qu'elles ne gagnent guère le respect de la clientèle.

À BrainReserve, nous avons étudié des moyens de surpasser les lignes téléphoniques 1 800 et 1 900. Nous avons cherché à orienter cette technologie vers une meilleure utilisation (plus efficace en matière de temps et de caractère humain).

C'est, à notre avis, la ligne 1 000 qui s'annonce. Une ligne qui mettra à votre disposition un expert pour solutionner vos problèmes d'ordinateur, de finances, d'éducation des enfants et vous fournissant même des conseils d'ordre juridique, médical ou conjugal.

Quelle en est la valeur? Notre recherche conclut que le consommateur serait disposé à payer 15 $ pour se faire dire comment réparer rapidement un appareil électroménager (moins cher et plus commode qu'un appel au service de réparation), et 100 $ pour une séance de thérapie familiale où chaque membre participe (ou appel conférence).

L'essentiel au sujet des lignes téléphoniques est de tout faire pour dégager toutes les lignes. Quand vos clients veulent de l'aide, c'est dans l'immédiat qu'ils la veulent, jour et nuit, la semaine et la fin de semaine (qui a déjà eu des problèmes avec son magnétoscope entre 9 h et 17 h, du lundi au vendredi?). Vos clients sont prêts à débourser pour ce privilège.

Il y a de l'or qui se cache dans ces lignes téléphoniques.

Des lingots de fidélité de la clientèle.

Faire sa marque

Quand tout le monde veut la même chose, c'est qu'il y a une raison.

Même si depuis quelques années nous avons gagné en qualité, nous avons dû en payer le prix: ce fut au détriment du style.

La prochaine vague sera celle du style, et du style. Ce sera une réaction au fait que les différences ont été complètement éliminées. J'appelle cette vague faire sa marque: pénétrer la forteresse à l'aide du style, tout en gardant intactes la qualité et l'efficacité. Il ne s'agit pas de marques de grand renom mais plutôt d'un aspect plus profond du concept de «marque»: du caractère, du style, de l'excentricité. Faire sa marque est en outre une question de personnalité — être excitant, fantaisiste, différent, étrange, honnête.

Comment y parvenir? En ajoutant de la couleur, de l'esprit, de l'âme, de la vie et du plaisir. Peut-être un soupçon d'ironie. En faisant marche arrière pour étudier le chic des années quarante, cinquante et soixante et parer votre produit d'un charisme nouveau/ancien. En combattant activement le fade, le carré et l'ennuyeux.

En tant que consommateurs, nous en avons assez du fade. Trop de blanc dans les aliments que nous croyons bons pour nous — poulet blanc, poisson blanc, vin blanc et toutes ces eaux minérales transparentes.

Et tandis que tout ce que nous devrions manger est blanc, presque tout ce que nous conduisons actuellement est ennuyeux.

Les automobiles étaient auparavant de formes différentes, instantanément identifiables: la Thunderbird à deux places, la Cadillac aux longues ailes, la Torino effilée, la Mustang fringante. C'est alors que les voitures européennes onéreuses devinrent carrées et ennuyeuses. Les modèles japonais adoptèrent par la

suite ce style. Aujourd'hui, la plupart des automobiles se ressem-
blent, à l'exception de la Mazda Miata qui est arrondie comme
une ancienne Porsche, tel un bain: un cocon mobile dont le prix
se situe dans la catégorie des petites gâteries; une aventure fantastique sûre pour le consommateur averti et exigeant. On l'identifie au premier regard: on connaît son prix et les quatre couleurs
possibles de ce modèle. Faire sa marque consiste à accentuer le
phénomène de reconnaissance. C'est amusant.

- Les magasins Gap font leur marque. En entrant dans ces magasins, on baigne dans une atmosphère particulière; c'est une expérience globale. Simples, fonctionnels et à des prix raisonna-
  bles, ces magasins offrent de la variété et l'impression d'im-
  mersion — quand on est là, on n'est pas ailleurs. On est chez
  Gap.
- Ralph Lauren's Country Store fait sa marque. En y mettant les
  pieds, on entre dans un monde de tableaux d'époque, d'objets artisanaux, de tables de brindilles, de tapis au crochet et
  de bijoux amérindiens, le tout constituant une toile de fond
  historique aux vêtements de sport élégants. L'ensemble respi-
  re l'authenticité parce qu'il a bénéficié des services de Ben Ap-
  felbaum, spécialiste du folklore américain. Le magasin est au-
  thentique, fonctionnel et très cher. Faire sa marque n'a pas de
  prix.
- Rainforest Crunch fait sa marque. La friandise de Ben & Jerry
  relève d'une conscientisation sociale puisque les noix d'acajou et
  les noix du Brésil proviennent du bassin de l'Amazone. L'achat
  de produits de la forêt tropicale en assure la sauvegarde (40 pour
  cent des profits sont réinvestis dans la forêt tropicale tandis que
  20 pour cent sont destinés à la paix). On fait une bonne action
  tout en dégustant un produit extrêmement bon.
- Nike fait sa marque parce que ses chaussures de sport robus-
  tes sont devenues le symbole du besoin américain de se rafraî-
  chir la mémoire. Un rappel à être bon. Un renforcement positif.
  Les héros-athlètes encouragent notre jeunesse récalcitrante à
  «le faire»[43].
- Origins fait sa marque. Une ligne de produits cosmétiques
  simple (d'Estée Lauder) qui font plus que vous donner belle

---

43. En anglais, le slogan publicitaire est «Just Do It».

apparence. Ces produits vous font sentir belles à l'extérieur et à l'intérieur. Le produit qui se vend le plus est une petite bouteille de lotion baptisée «Peace of Mind» (tranquillité d'esprit). Il suffit de s'en frotter les tempes pour apaiser le stress.

· Nikon fait sa marque. C'est l'appareil photo du photographe professionnel. Un appareil de pointe, d'une technologie parfaite et d'un classique réconfortant. Il fonctionne bien. Il a toujours bien fonctionné et fonctionnera toujours bien.

Faire sa marque est peut-être une chose qu'il faut d'abord ressentir. C'est peut-être comme pour le jazz — ou bien on le ressent dans l'âme — ou bien on ne le comprend jamais. Quoi qu'il en soit, dans chaque catégorie de produits, il y a place pour au moins un produit de marque. Les tendances peuvent vous aider à faire votre marque. C'est la façon d'assurer votre avenir.

Ne demandez pas ce que votre client peut faire pour vous mais ce que vous pouvez faire pour votre client

Dans les années quatre-vingt-dix, la *clé* du succès se trouve dans votre capacité à oublier vos vieilles ruses — et à apprendre les nouvelles manières de cette décennie.

L'emballage impeccable, les belles photos du produit, l'astuce, le style primant sur le contenu de même que le «cool» sont tout simplement dépassés.

La *clé* pour gagner des clients dépendra des extras que vous pourrez vraiment offrir. Le produit avec toujours plus. Des rabais, par exemple, pour récompenser les clients fidèles ou le versement d'une fraction des profits à un projet communautaire.

• Votre banque informatisée de clients deviendra votre ressource principale. Les entreprises créeront de nouveaux services axés sur les moyens d'instaurer et de maintenir le dialogue avec la clientèle. Le terme «consommateurs» deviendra même désuet: vous les appellerez par leur *nom*.

Supposons que vous vendiez des fours à micro-ondes. Une nouvelle cliente arrive et en achète un pour son appartement. Retenez son nom et postez-lui le formulaire de garantie dûment rempli (pourquoi l'obliger à remplir elle-même ce formulaire?) de même que le dernier livre de recettes pour micro-ondes. Vous devriez avoir une ligne téléphonique 1 900 pour permettre à vos clients d'obtenir tous les renseignements possible, que ce soit en matière de programmation ou de planification des repas.

• La vie sera plus facile pour le consommateur quand les agents de marketing travailleront ensemble, plus efficacement en vue de pénétrer le cocon. La commercialisation croisée peut s'avérer extrêmement rentable.

Supposons que vous soyez propriétaire d'une pépinière et que vous vendiez à un nouveau propriétaire domiciliaire des plantes vivaces, des bulbes et des conifères.

Dans les jours qui suivent, vous avez transmis aux autres marchands le nom de ce consommateur et ce jardinier en herbe reçoit de la quincaillerie plusieurs échantillons (tourbe, fertilisants standard), des dépliants sur les meubles de jardin, des habits de travail et des décorations extérieures de même qu'une invitation à une réunion au club de jardinage local.

L'achat, la vente et l'utilisation des noms rendront l'industrie beaucoup plus agréable et perfectionnée qu'elle ne l'est actuellement. Chaque nouveau consommateur sera situé, ciblé et courtisé par les agents de marketing qui le prendront en charge.

Il s'agit d'une stratégie semblable à celle de l'ancien concept du «panier de bienvenue» consistant, pour les nouveaux résidents, en petits «cadeaux» et tarifs spéciaux pour faire connaissance avec tous les marchands locaux. L'approche «coopérative» repose sur l'idée que l'achat d'un produit devrait entraîner l'achat d'une *chaîne* de produits.

Il se peut même que les consommateurs donnent volontairement leur nom à des entreprises géantes comme celles de Philip Morris (propriétaire de Kraft General Foods et de Miller Brewing) qui offrent un large éventail de produits, en échange d'un service permanent de livraison à domicile.

• On peut pénétrer le cocon par le biais d'un service personnalisé. Plus vous vous montrerez disposé à *aider* la clientèle, plus elle sera accessible.

Si votre entreprise vend les principaux produits domestiques — électroménagers, appareils reliés aux divertissements — essayez de lancer un programme d'«entretien préventif». Pourquoi attendre que la laveuse se brise? Une mise au point et un nettoyage de tous les électroménagers tous les neuf mois peuvent favoriser le rendement optimal de tous les appareils. Qu'en retirerez-vous? Une clientèle fidèle et la possibilité de «prévente» — en prévenant d'avance les consommateurs des prochaines nouveautés. S'ils sont assurés de vos services, ils achèteront votre produit.

Demandez-vous comment gagner la fidélité de vos clients et tenez ensuite vos promesses. Vous gagnerez ainsi leur loyauté à vie.

Les aliments de l'avenir

Dans les corridors de notre bureau, il n'est pas rare d'entendre la formule «nous sommes ce que nous mangeons» car à nos yeux, «ce que nous mangeons» équivaut à des aveux complets de la part du consommateur.

Nous croyons que les tendances naissent habituellement des habitudes alimentaires: tout le monde mange, tout le monde en parle. En comparaison de l'achat de biens durables, la nutrition est relativement peu coûteuse et constitue un moyen facile de faire l'essai d'un produit nouveau ou différent. Du point de vue du consommateur, il y a toujours une autre collation ou un autre repas à prendre dans quelques heures. Un mauvais investissement alimentaire ne constitue qu'une perte faible.

L'un des meilleurs moyens de dépister les tendances consiste à dépister les produits alimentaires. Toute nouveauté en matière d'alimentation nous met en état d'alerte chez BrainReserve pour voir si le signe annonce un plus grand mouvement culturel. Des changements alimentaires ont par exemple signalé plusieurs des tendances actuelles:

• L'un des premiers signes du *cocooning* fut le soudain déclin de la restauration dans toutes les grandes villes. Où étaient passés les habitués? Terrés dans leur cocon. Blottis dans leur coin, à manger des plats à emporter ou livrés à domicile, à grignoter du maïs soufflé en regardant des films sur leur magnétoscope.

• Les restaurants se spécialisant en cuisine thaïlandaise, vietnamienne ou autre cuisine orientale, de même que ceux offrant la cuisine tropicale épicée comprenant les plats et boissons des Caraïbes, nous donnèrent les premiers signes de la recherche d'une évasion en toute sécurité dans l'aventure fantastique.

• L'une des premières petites gâteries déjà citée, la barre

Dove, constituait une gratification instantanée quoique de toute première qualité. Ce syndrome du «je-le-mérite» devint l'une des tendances que nous avons observée qui s'est développée le plus rapidement.

• L'un de nos collègues de travail lut un article décrivant le pique-nique du gourmet, comprenant comme entrée, une salade très *in* de pâtes et de tomates séchées. Le dessert était composé de biscuits Oreo, parfaits pour les adultes retournant en enfance.

Il est en outre intéressant de passer en revue les récents chapitres de l'histoire de la consommation pour ensuite imaginer l'avenir par l'entremise des produits alimentaires. Pensons seulement à la tendance insulaire des années cinquante alors que les rouleaux de printemps et le chop suey de l'unique restaurant chinois du coin représentaient à nos yeux le summum de l'exotisme, quand ce n'était pas le bœuf bourguignon lourd préparé par un ami téméraire.

Vint ensuite l'ère du plastique et de l'absence de saveur: le prêt-à-servir et les plats surgelés des années soixante.

Au cours des années soixante-dix, l'alimentation nord-américaine était simple. Nous étions toujours impressionnés par les cuisines européennes. Les agents de marketing croyaient pourtant que les Nord-Américains n'en consommeraient pas (chez eux) tant qu'ils ne maîtriseraient pas la prononciation correcte des plats (de là-bas).

Dès le début du «village global» des années quatre-vingt, les croissants (que les Américains appelaient *cross-ants* ou pis encore) constituaient une industrie de 500 millions de dollars. Les menus étaient soudain des mélanges de plats de toutes nationalités: restaurants latino-asiatiques, minipizzas saupoudrées de fromage de chèvre français, sushi japonais, salsas mexicaines.

Vers la fin des années quatre-vingt et au début des années quatre-vingt-dix, le pain de viande et les pommes de terre en purée étaient redevenus à la mode en Amérique. De même que les plats de bistrot, le meilleur poulet rôti et les frites les plus croustillantes. Sans compter les fèves, les céréales et la polenta. C'est la raison pour laquelle nous fûmes si excités quand Charlie Hayward et Jack McKeown, de la maison Simon & Schuster, retinrent nos services pour participer au lancement du *Family Circle Cookbook*, un livre de recettes montrant aux Américains la nouvelle manière de cuisiner. (Nouvelle manière signifiait la manière rapide, saine et utilisant des ingrédients internationaux dans des recettes classiques.)

Quelle sera la prochaine étape?

L'égonomie n'a pas encore atteint le marché alimentaire — mais cela se produira. L'alimentation sur mesure viendra par la suite. On admettra que les besoins nutritifs de votre corps diffèrent de ceux de votre conjoint. On vous servira des plats modifiant l'humeur — pour réduire le stress, augmenter l'énergie, favoriser le sommeil. Un pain spécial pour vous calmer; un bœuf spécial pour vous stimuler. Des aliments en fonction de l'âge, de l'étape de l'existence — des menus pour l'adolescence et pour la ménopause. Des aliments traditionnels et médicinaux — pour favoriser la respiration, pour vous stimuler en période d'allaitement ou de syndromes prémenstruels.

Des aliments sérieux. Des aliments de survie. Des aliments pour guérir. Bientôt disponibles pour vous et votre famille.

Le langage du consommateur

Pour savoir ce que veulent les consommateurs, il faut le leur demander. C'est le fondement des études de marché et c'est là que se trouve la sagesse véritable. Le truc consiste évidemment à poser les bonnes questions et à savoir écouter les réponses. Parce que les réponses sont formulées dans un langage différent. Un langage combinant la franchise timide et le désir de plaire: le comportement poli du «bon citoyen», et l'honnêteté inconsciente et brutale. Je l'appelle le langage du consommateur.

Ce langage, vous l'entendez lors de circonstances très particulières — dans les réunions de groupes de consultation dans les centres commerciaux, dans les entrevues approfondies et en tête-à-tête — dans toutes ces «mises en situation» conçues par les chercheurs en marketing pour aider les agents de marketing à «parler» aux consommateurs.

Si vous êtes agent de marketing, ce vocabulaire vous est sans doute péniblement familier. Si vous êtes consommateur, je vous révélerai des secrets. L'étude de marché *est* un processus ahurissant. Elle déborde d'étonnants pièges à la James Bond, tels les miroirs doubles, les micros sensibles, et les chefs quasi-médiums qui savent comment percer les motivations et sentiments véritables du groupe — comme en thérapie de groupe. À l'extrême, il existe même des techniques pour évaluer les publicités télévisées, à l'aide d'électrodes pour mesurer le rythme cardiaque et la moiteur des paumes chez les spectateurs, ou de cadrans que les consommateurs tournent selon que leur intérêt croît ou décroît.

Mais le fond de l'histoire, c'est que les agents de marketing ont besoin de connaître l'avis des consommateurs. Plus la mise en situation est simple, plus elle fonctionne. Les groupes de consultation — dans lesquels environ huit consommateurs triés sur le volet se réunissent pour *parler* d'un produit ou d'une idée — évoluent habituellement vers une dynamique en escalade où une poignée d'interlocuteurs se chamaillent et où il y a toujours une personne totalement silencieuse. Il y a aussi les triades — un groupe plus intense de trois personnes. Notre préférence va aux interviews en profondeur — des conversations en tête-à-tête avec des consommateurs. C'est un procédé plus intime et plus concluant. Cette méthode permet d'arriver à une meilleure compréhension des goûts et réticences d'un consommateur.

Quelle est la clé pour comprendre le langage du consommateur? Il faut simplement se rappeler que tous les participants essaient de se comporter avec politesse. Ils veulent montrer leur savoir-vivre. Dès nos premiers pas vers la socialisation, on nous a dit d'être gentils, de ne dire que des choses agréables, de voir au bien-être de l'autre, de ne pas choquer ou faire de vagues (cette dernière recommandation s'adressant surtout aux femmes). Nous devions même répondre correctement aux questions. («Quelle réponse désire le professeur?» «Que dois-je répondre pour faire bonne impression?») C'est là un phénomène social certes admirable mais qui risque d'empêcher la communication franche quand on n'en tient pas compte.

Les consommateurs disent en général ce qu'ils pensent que vous *voulez* entendre, ce qu'ils croient être *tenus* de dire (si on les a approchés en tant que mères, avocats ou grands explorateurs); ce qu'ils croient ne pas vous blesser; ce qu'ils estiment être à leur avantage en ce qui a trait à l'intelligence et à la gentillesse par rapport à la personne interrogée avant eux (évidemment, personne n'admettra manger tout un litre de crème glacée). Tout, sauf la vérité absolue.

À moins de savoir traduire le langage du consommateur. Vous venez par exemple de présenter l'idée d'un nouveau produit qui vous semble exceptionnel. Voici la différence entre ce que dit la consommatrice et ce qu'elle veut dire.

Ce qu'elle dit: «Voilà qui ferait un beau cadeau.»
Ce qu'elle veut dire: «Je n'en voudrais pas dans mon foyer.»

Ce qu'elle dit: «Ma sœur adorerait cela.»
Ce qu'elle veut dire: «Personnellement, je déteste cela.»

Ce qu'elle dit: «Voilà qui serait très bien pour le camping.»
Ce qu'elle veut dire: «Quelle chose inutile!»

Ce qu'elle dit: «Mon mari aimerait beaucoup cela mais mes enfants n'aimeraient pas cela du tout.»
Ce qu'elle veut dire: «Cela ferait peut-être l'affaire une fois mais je fais rarement des choses séparément pour mon mari et mes enfants. Qui en aurait le temps?»

Ce qu'elle dit: «Je suppose qu'un aimant électrique pour capter la poussière en dessous du lit *rendrait* la maison plus propre mais est-ce facile à utiliser?»
Ce qu'elle veut dire: «Vous vous moquez de moi?»

Ce qu'elle dit: «Ce pourrait être un bon divertissement.»
Ce qu'elle veut dire: «Cela n'a rien à voir avec mon quotidien.»

Ce qu'elle dit: «Cela nous changerait agréablement du macaroni au fromage.»
Ce qu'elle veut dire: «Tout le monde aime le macaroni au fromage. C'est facile à préparer; j'en fais une fois par semaine et c'est la seule fois où personne ne se plaint du repas. Pourquoi changerais-je?»

Ce qu'elle dit: «Oh, j'en ai toujours un dans mon armoire.»
Ce qu'elle veut dire: «J'en ai acheté une fois et je pense que cela est resté dans l'armoire, probablement couvert de poussière à l'heure actuelle.»

Ce qu'elle dit: «J'aime cela parce que c'est 'naturel'.»
Ce qu'elle veut dire: «Le naturel m'ennuie mais je ne vais pas l'avouer.»

Ce qu'elle dit:	«Voilà qui conviendrait peut-être à des occasions spéciales.»
Ce qu'elle veut dire:	«Je ne m'en servirai jamais mais je ne veux pas vous blesser.»

Voici quatre constatations touchant le langage du consommateur que nous gardons à l'esprit en écoutant les gens nous parler de produits.

Le rejet «à portée de la main». Si la consommatrice dit qu'elle garderait volontiers le produit «à portée de la main» dans l'armoire, la penderie, le hangar, le congélateur, le coffre de la voiture, le sous-sol (vous voyez le tableau), elle est train de repousser le produit avec les *deux* mains. (L'envers de la médaille: si elle demande de quoi elle devrait se *débarrasser* pour faire de la place au nouveau produit, c'est une réaction allant dans un sens positif.) Nous faisons parfois des «vérifications sur place», nous rendant carrément au foyer de la consommatrice pour regarder attentivement dans le garde-manger et le réfrigérateur — et nous vérifions de temps en temps ce qui s'y trouve *réellement*.

L'acceptation de principe. Si l'idée ou le produit présenté est associé à un comportement désirable (par exemple, un petit déjeuner chaud pour les enfants, nécessitant un certain temps de préparation, ou toute chose associée au comportement d'une «bonne mère» ou à la «bonté naturelle», l'énorme enthousiasme initial est alors habituellement provoqué par la culpabilité. Il peut même souvent s'agir d'un faux enthousiasme. Parez à cette éventualité en disant: «Je sais que vous voulez donner un repas chaud aux enfants tous les matins mais n'est-ce pas difficile quand il faut se dépêcher pour se préparer pour le boulot?» Si l'enthousiasme persiste (et que la cliente n'est pas *trop* sur la défensive), vous êtes probablement sur une piste intéressante.

L'écart entre l'intention et l'action. Apprenez à différencier les actions réelles des intentions. Se sert-elle *vraiment* de la soie dentaire trois fois par jour ou ne s'agit-il que d'un simple désir de sa part? Achèterait-elle vraiment votre produit en revenant à la maison ou n'est-ce qu'une «intention» de sa part. Est-ce si urgent? (L'attitude inverse est évidemment «l'expression d'une intention négative» — «Je ne dépenserais *jamais* d'argent pour cela» — suivie d'un geste positif en cachette. Comme la femme qui, après avoir rejeté un produit dont on avait fait la démonstration devant un groupe d'évaluation, demanda subrepticement à l'animateur si elle pouvait en rapporter un chez elle.)

Le rejet en raison d'une demande prématurée. Si l'idée est conforme à une tendance future, la consommatrice ne sait pas encore si elle en voudra ou non. Ayez la prudence de ne pas prendre son rejet trop au sérieux. Prêtez plutôt attention aux «élaborations créatrices» de l'idée ou écoutez comment la consommatrice associe la nouvelle idée à des choses faisant déjà partie de sa vie; voilà une bonne source d'indices pour l'utilisation future. Il y a cinq ans, un bidule pour empaqueter les journaux à recycler ne l'aurait pas intéressée alors que maintenant, c'est l'inverse.

Nous disons en fait qu'il faut «parler» avec les clients. Un dialogue ininterrompu avec la consommatrice est de toute première importance et son importance croîtra d'autant plus que nous nous retirerons de plus en plus dans nos cocons blindés.

Chez BrainReserve, nous procédons chaque année à des milliers d'entrevues avec les consommateurs. Nous parlons aux gens de produits, certes, et d'idées commerciales. Mais nous leur parlons aussi de leur vie, de leurs attentes, de leurs fantasmes et de leurs déceptions — de la manière dont leur vie s'est transformée depuis cinq ans et de ce qu'ils espèrent pour les dix ou vingt prochaines années.

Être en mesure d'écouter les consommateurs est la base de nos tendances. En vérité, c'est la base de l'avenir.

Comment lire l'heure du consommateur

Tout comme le langage du consommateur constitue une entité en soi, il en est de même de l'heure du consommateur. Pour pouvoir lire correctement cette heure, il faut procéder à un ajustement radical du temps habituel: l'ajuster sur le temps de l'avenir. Ce temps n'est pas encore arrivé, mais il s'en vient. Et vaut mieux être prêt quand il arrivera.

Lire l'heure du consommateur constitue le moyen de savoir à quel moment votre produit dira au consommateur: «Vas-y, maintenant.»

C'est ce que certains de mes clients ont appelé «avoir la foi» — concentrer leurs efforts vers un avenir encore invisible. («Je ne peux tout simplement pas m'imaginer un monde, m'a déjà dit quelqu'un, «dans lequel les hommes américains mangeront du yogourt ou boiront de la bière désalcoolisée.» *Cette* personne ne connaissait manifestement pas la tendance «rester en vie».)

Quand on pense à l'inévitable décalage propre au marketing (il faut à la plupart des entreprises entre dix-huit et vingt-quatre mois pour lancer un nouveau produit, de neuf à douze mois pour amener une nouvelle annonce sur les ondes) — il est clair que la *seule* manière d'étudier le temps est rapidement. Quand les consommateurs vous disent vouloir une chose «immédiatement», ce n'est pas nécessairement cette même chose qu'ils désireront aussi vivement dans un an ou deux.

Il vous faut par conséquent faire ce saut dans l'avenir en partant des tendances: le temps des tendances en est un à long terme (une tendance a une longévité d'au moins dix ans; le *cocooning* entreprend sa seconde décennie). Les tendances constituent la manière la plus précise (à notre connaissance) de prédire ce que sera éventuellement l'heure du consommateur sur le marché. Orientez-vous dès maintenant sur les tendances et votre

produit ou positionnement atteindra le but quand le consommateur s'y verra confronté. *Ignorez* les tendances maintenant et
quelqu'un d'autre vous surclassera. Il sera alors trop tard pour
rattraper le temps perdu.

Pour bien synchroniser votre temps en fonction des tendances, il vous faut tenir compte d'un autre phénomène que nous
appelons l'élasticité du temps. Cette dernière se produit lorsque
le temps du consommateur ralentit, accélère ou même s'arrête
momentanément en réaction à des événements extérieurs ou
même aux tendances elles-mêmes.

Lorsque la guerre fut déclarée, par exemple, les gens se ter-
rèrent encore plus dans leurs cocons. Voilà qui va bien dans le
sens de la tendance au *cocooning* (pas de changement majeur).
Mais l'heure du consommateur s'arrête momentanément. La ligne du temps marque un soubresaut causé par un événement
catastrophique. Lorsque la guerre prit fin, les gens envahirent les
rues pour fêter. Avez-vous abandonné votre produit ou votre
positionnement axé sur la tendance? Non, parce que le temps
continue de s'écouler. Les gens ne tarderont pas à trouver *autre
chose* qui cloche dans les rues, dans le monde extérieur. Ils rega-
gneront alors leur cocon. Les tendances n'auront pas changé.

Les tendances vont elles-mêmes accélérer ou ralentir l'heure
du consommateur. À mesure que le syndrome de l'accélération
atteignait son intensité maximale (donnant naissance aux vies
multiples) — nous avons vu l'heure du consommateur s'accélérer
sans cesse. Mais au cours de la présente décennie, le temps va
passablement se ralentir. Nous adopterons bientôt un mot d'ordre du genre: vive la lenteur. C'est une réaction face à la grande
rapidité des années quatre-vingt, un élan à se monnayer un départ vers une vie meilleure. Nous sommes un peuple vieillissant
(retournant parfois en enfance) et nous ralentirons la cadence,
prenant peut-être le temps de passer un après-midi agréable ou
de rédiger soigneusement un message télécopié comme jadis on
prenait le temps de rédiger une lettre. La lenteur constituera la
toile de fond culturelle de la présente décennie.

En même temps, l'heure du consommateur peut s'accélérer
en raison de la pression extérieure du marketing. La compétition
pure sur le marché pousse *tout le monde* vers l'avenir. Si vous
tardez trop à vous approprier une part du marché, ce seront les
Japonais, les Allemands ou alors les gens qui se sont monnayé un

départ et qui sont prêts à travailler le jour, la nuit et la fin de semaine qui se l'approprieront. Dans une économie mondiale au
sein de laquelle il est impossible de prédire qui l'emportera sur
les Japonais, les Allemands ou sur un autre participant majeur, le
temps du marketing doit se dérouler sur le mode accéléré même
si nous vivons dans une décennie où la lenteur et la constance
remportent par ailleurs la victoire.

Tenez compte de l'élasticité du temps sans pour autant en
être découragé. (Considérez-la comme l'une de ces montres qui
marquent simultanément trois fuseaux horaires.)

N'oubliez pas que l'heure à laquelle vous vivez est l'heure
des tendances.

C'est le meilleur indicateur de l'heure des consommateurs et
le guide le plus sûr vers l'avenir.

CINQUIÈME PARTIE

LA NOUVELLE FRONTIÈRE
DU MARKETING

L'avenir n'attendra personne, ni homme, ni femme, ni entreprise.

Vendre le sens moral de l'entreprise

Il suffisait auparavant de fabriquer un produit potable et de le vendre. Plus maintenant. Dans les années quatre-vingt-dix, l'entreprise doit avoir une âme. Avant d'acheter un produit, le consommateur voudra savoir à qui il a affaire. Il n'est pas toujours facile d'expliquer qui on est. On voudra connaître votre politique environnementale, votre position face aux soins de la santé et à l'éducation des enfants, vos liens commerciaux (si vous en avez) avec un pays de l'apartheid, vos autres lignes de produits et marques de commerce.

Qui plus est, les groupes militants cherchent de nos jours à découvrir les attitudes des entreprises. Un groupe féministe, Media Watch, s'est attaqué entre autres à la firme Guess Jeans pour sa publicité d'allure sexiste. Les pro-choix et les pro-vie se sont ligués contre la décision de AT & T de cesser ses dons à Planned Parenthood[44]. Ce genre de politiques ternit l'image d'une entreprise (lorsque le vrai sens est caché). À une échelle plus réduite, je me souviens du moment lors duquel des gens de ma connaissance, gens d'affaires sophistiqués, se sentirent pratiquement trahis en découvrant que Pepperidge Farm (image familiale et artisanale) et Godiva Chocolates (haut de gamme, raffiné) appartenaient toutes deux à Campbell (grosse entreprise de fabrication de masse).

En essayant de se rapprocher de sa clientèle, l'entreprise doit se souvenir que nous avons bien appris notre leçon: «N'ouvre pas la porte aux étrangers.» Nous voudrons savoir à l'avance qui essaie d'avoir accès à notre cocon. Vos chances d'entrer seront meilleures si nous éprouvons du respect pour le sens moral de votre entreprise.

---

44. Organisme qui s'occupe de planification familiale.

L'attitude générale adoptée par les entreprises au cours de la dernière décennie consistait à se retrancher derrière leurs produits, les laissant parler d'eux-mêmes. La promotion des produits et non des fabricants.

Les entreprises doivent maintenant créer des liens avec leur clientèle. Des relations fondées sur la confiance. Qu'est-ce qui inspire confiance? La respectabilité. Les entreprises qui *font* le bien et qui sont *bonnes* seront celles qui inspireront confiance. Le cocon leur sera facile d'accès.

Dans presque toutes les catégories de produits, il y a encore place au positionnement respectable. Épouvantable mais vrai: le positionnement respectable est encore l'une des choses les plus difficiles à faire adopter aux entreprises car ce n'est pas facile à réaliser. Mais il suffit d'une seule entreprise dotée de sens moral qui fasse la bonne chose pour y inciter les autres de chaque catégorie.

Comme *Good Housekeeping,* dans la catégorie des revues. Les sept sœurs (de *Ladies Home Journal* jusqu'à la revue *McCall's*) étaient en difficulté (à la fin des années quatre-vingt). Leur image était embrouillée. Il était de plus en plus difficile de trouver des annonceurs. *Good Housekeeping* fit appel aux services de BrainReserve.

Notre première analyse conclut que cette entreprise avait déjà un sens moral (sauf qu'il n'était pas toujours leur préoccupation première). Presque tous les produits annoncés dans la revue sont assurés par la «politique du consommateur» de *Good Housekeeping* qui remplace ou rembourse le prix d'achat si le produit s'avère défectueux.

De par son sens moral, nous comprîmes que la revue avait l'occasion de se positionner comme la conscience sociale des années quatre-vingt-dix, décennie de la respectabilité. L'annonce parut le 2 janvier 1990 dans le *New York Times* et le *Wall Street Journal.* On y lisait: «La décennie de la respectabilité est amorcée. *Good Housekeeping* en est le porte-parole.» On y expliquait que *Good Housekeeping,* en tant qu'autorité en matière de consommation, garantirait son sceau d'approbation; qu'elle créerait un service de recherches chimiques et environnementales au sein de son institut et qu'elle aurait une chronique régulière sur l'état de la planète intitulée «Green Watch». La revue créerait également des «prix Green Watch» pour honorer les personnes contribuant de manière importante à l'amélioration de l'environnement. Autrement dit, *Good Housekeeping* s'engageait moralement sur la place publique. L'engagement à la respectabilité était clair et sérieux. Les pages d'annonces se sont beaucoup mieux vendues. «*Good House*» est la seule des sept sœurs qui a affiché un profit cette année-là.

Rubbermaid, Inc. fut l'une des premières entreprises, avec qui nous avons travaillé à comprendre le concept de vente de la respectabilité; elle l'avait toujours pratiquée de manière instinctive — une entreprise remarquable, des produits excellents, une réputation excellente et une excellente attitude envers les employés. Elle se classait au deuxième rang de la liste, dressée par *Fortune*, des 306 meilleures entreprises des États-Unis. Mais à l'arrivée de la décennie actuelle, Rubbermaid avait suffisamment d'intuition pour se voir au cœur du «marché écologique». Dans l'opinion publique, on l'associait au recyclage et aux aspects importants du tri et de l'entreposage des déchets.

Ce dont Rubbermaid avait manifestement besoin, c'était une plate-forme environnementale pour se démarquer des innombrables demandes du marché écologique actuel. Elle avait besoin, autrement dit, non seulement d'annoncer ses produits mais de s'annoncer elle-même.

Sous la bannière «Rubbermaid et vous: pour aider la planète à se remettre d'aplomb», nous avons aidé l'entreprise à se positionner pour les prochaines années. L'élément «Rubbermaid et vous» de ce slogan était capital. Nous nous étions rendu compte que les consommateurs se sentaient désespérés et isolés dans leurs efforts de recyclage. Rubbermaid devait transformer ce désespoir en optimisme; s'allier au consommateur (sous la bannière «ensemble nous pouvons aider la planète à se remettre d'aplomb»); et se placer elle-même au premier rang de la scène environnementale naissante.

Dans notre rapport final, nous avons présenté à Rubbermaid une liste de nouveaux produits susceptibles de démontrer son souci de l'environnement (c'est-à-dire un système de rangement des produits réutilisables s'adaptant tant au coffre arrière de l'auto qu'au chariot d'épicerie). Nous avons en outre conçu des moyens simples de diffuser le sens moral de l'entreprise. Fabriquer par exemple un autocollant pour tous ses produits et arborant un symbole de recyclage. Nous leur avons même conseillé d'utiliser une photo du président Wolf Schmitt (homme d'affaire responsable et séduisant). Nous avons également présenté une «liste de souhaits», fruit de l'une de nos sessions de remue-méninges et composée d'une vingtaine d'idées réalisables — du genre «rapportez-nous ce produit aux fins de recyclage et obtenez un rabais sur votre prochain achat» — à mettre en pratique au cours des quelques prochaines années. Il faudra peut-être un certain temps pour améliorer l'état de la planète mais Rubbermaid n'en a pas moins prouvé qu'elle avait le cœur au bon endroit.

Les autres entreprises pourraient entreprendre certaines démarches: proclamer par exemple leur sens moral au moyen de sceaux multiples — une estampe que le consommateur peut facilement voir; révéler l'histoire complète de leurs produits, du début à la fin; faire preuve d'une transparence totale, sans rien à cacher ou à taire.

Il est impossible de simuler un sens moral; vous l'avez ou alors vous feriez mieux de vous en créer un rapidement. Selon la nature de votre entreprise, la décennie de la respectabilité exige de votre part un message clair et net (une promesse de l'entreprise) qui pourrait ressembler à ceci:

• *Pour les entreprises de l'industrie lourde*: «Considéré globalement, notre secteur industriel a commis de graves erreurs; certaines étaient impossibles à prévoir, d'autres dont nous étions conscients, et que nous regrettons. Voici ce que notre entreprise fait pour y remédier.» Si le président d'*Exxon*, Lawrence G. Rawl, avait par exemple parlé en ces termes au public américain lors du déversement du *Valdez* (comme l'avait fait Jim Burke au cours de la crise Tylenol), les consommateurs auraient peut-être fait preuve d'indulgence plutôt que de nourrir de la colère envers l'entreprise. Même si 10 000 clients seulement ont annulé leur carte de crédit, le nom de l'entreprise demeure souillé (aussi noir que le pétrole).

• *Pour les entreprises de service*: «Avec tous les problèmes sociaux (criminalité, analphabétisme, maladies, etc.) que nous vivons maintenant, notre entreprise veut faire davantage. Voici ce qui nous semble le mieux à faire.» L'industrie de la mode et de la confection s'est lancée dans la collecte de fonds pour la recherche sur le sida (DIFFA — Design Industries Foundation for AIDS — est l'un des pivots de ce mouvement). McDonald a créé un réseau de foyers Ronald McDonald et offre un plan McSeniors pour l'embauche des aînés de même qu'un programme McJobs pour l'embauche des handicapés. L'académie Burger King est une école secondaire alternative pour décrocheurs et élèves non motivés.

• *Pour les entreprises de produits emballés*: «Depuis des années, nous avons emballé nos produits de manière à attirer votre attention. Nous nous tournons maintenant vers le recyclage pour aider à sauver la planète.» Kodak a mis l'emphase sur des programmes de recyclage de ses étuis pour pellicules (7,5 millions de tonnes de plastique chaque année). Procter & Gamble s'est lancé dans un programme de recyclage des couches jetables. Coke et Pepsi se servent toutes deux de bouteilles de plastique recyclé pour leurs boissons gazeuses.

• *Pour les industries réglementées*: «Œuvrant dans le secteur des boissons alcoolisées, nous croyons à la modération. Notre entreprise admet que l'alcool, consommé de manière abusive, est une substance dangereuse.» Seagram's offre aux parents un manuel pour aider les familles à discuter des conséquences de la consommation d'alcool. Anheuser-Busch dépense 35 millions de dollars pour une campagne de sensibilisation et d'éducation. Miller Brewing s'est distinguée par une campagne publicitaire «Think when you drink[45]». Ou dans le cas de l'industrie du tabac: «We believe in your right to smoke, if you choose. But we also believe in your right to quit[46].» Rien n'a été fait jusqu'ici mais l'industrie va peut-être chercher un jour des méthodes révolutionnaires pour vous aider à modifier votre comportement... si tel est votre désir.

Voici les quatre mesures à prendre pour créer un sens moral et gagner les faveurs du consommateur au cours des années quatre-vingt-dix:

• L'aveu. Notre entreprise n'a pas toujours fait son possible pour améliorer les choses.

• La transparence. Voici ce que nous étions et voici ce que nous voulons devenir, avec votre appui.

---

45. Pensez quand vous buvez.
46. Nous reconnaissons votre droit de fumer si c'est là votre choix. Mais nous reconnaissons également votre droit d'y renoncer.

• La responsabilité. Voici *comment* nous définissons notre secteur de responsabilités et *qui* sera la personne devant en répondre.

• La présentation. Voici notre engagement envers vous, le consommateur: tous nos produits témoigneront de notre sens moral.

Le monde des affaires devra modifier ses priorités et honorer des talents différents. Le prestige que suscitait une maîtrise en administration des affaires (MBA) pour des agents de marketing des années quatre-vingt sera supplanté par le prestige du diplôme de maîtrise en respectabilité des affaires [business soul] (M.B.S). Un succès assuré jusqu'à l'an 2000 et au-delà.

La fin des achats

Dans le classique de George Orwell, *1984*, l'État contrôlait l'écran. En l'an 2000, ce sera le consommateur qui contrôlera l'écran. L'écran des achats informatisés.

Le centre commercial de l'avenir aura pour site le cocon familial. Tous les membres de la famille pourront magasiner à partir d'un seul endroit. Au lieu d'aller au magasin, c'est le magasin qui viendra à nous, peu importe la rareté du produit ou de la fréquence du besoin. À partir de nos écrans, nous pourrons connaître les tout nouveaux produits ou styles, et commander nos anciens produits favoris.

Au même titre que l'entreprise, l'expérience du magasinage telle que nous la vivons est devenue compliquée, inefficace et contraire aux tendances. Les grands magasins à rayons s'aperçoivent qu'il ne leur est plus possible de tout fournir aux consommateurs. Le centre commercial fait maintenant figure de dinosaure.

Les catalogues de vente par correspondance et les dépliants (empilés quelque part dans la maison en attendant d'être feuilletés et jetés) sont désuets — trop de gaspillage de papier; sans compter que l'inefficacité et les coûts élevés de la poste n'incitent guère l'utilisation de ce service.

Les modes de distribution constitueront la prochaine révolution axée sur le consommateur. Nous ferons directement affaire avec le fabricant — sans passer par le détaillant, sans intermédiaire ni obstacle en chemin.

La livraison à domicile ne sera plus un service supplémentaire mais une façon de vivre. Un seul camion livrant à une centaine de clients témoignera d'une bien meilleure gestion des ressources qu'une centaine de clients se rendant aux magasins en auto. Votre foyer sera doté de citernes pour le lait, le soda, l'eau minérale (toutes réfrigérées) et de contenants destinés par exemple au détergent ou à la nourriture sèche pour chien, le tout livré sur le mode du mazout à chauffage.

Dès que la livraison à domicile s'instaurera, les magasins deviendront graduellement désuets. Dans le cas des produits onéreux — appareils électroniques, automobiles, meubles et accessoires domestiques — des représentants viendront à la maison. Quant aux produits alimentaires et aux produits emballés, des échantillons livrés à domicile remplaceront le magasinage et l'essai. Pour les nouveautés ou les achats impulsifs, il y aura des salles d'exposition ambulantes, à l'exemple des camions d'aiguisage de couteaux (nous sortirons dans la rue au son de la cloche pour magasiner...).

L'époque de l'emballage est terminée. Un dialogue ininterrompu entre le fabricant et son client, de même que la loyauté accrue envers des marques élimineront la nécessité d'un emballage compliqué. Les consommateurs feront connaître leurs réactions aux fabricants par le biais de lignes téléphoniques de 1 800, informatisées et sans frais. Les fabricants se doteront en outre d'une liste de consommateurs sur appel pour voir, tester et évaluer des produits nouveaux ou modifiés. (Ce serait une bonne idée d'inclure rapidement les clients dans le processus de mise au point d'un produit, en leur donnant des droits acquis en cas de réussite — les fabricants auraient ainsi l'occasion d'entendre de «vrais» commentaires de la part de «vrais» clients.)

On rationalisera les achats de l'avenir par des innovations comme:

— *Le bulletin de nouvelles commerciales.* En consultant son écran tous les matins, le lecteur peut «faire le tour» des grands titres, des listes d'annonces et de coupons. Après avoir indiqué ce qu'il veut voir de plus près, l'imprimante lui sort un journal personnalisé, ce qui entraîne beaucoup moins de papier à recycler. À la fin du mois, le lecteur ne paie que les textes imprimés. Les entreprises ayant placé les annonces commerciales sont facturées en fonction du nombre de lecteurs ayant choisi d'imprimer leurs informations. Elles reçoivent en outre un index des noms, adresses et données démographiques des lecteurs ciblés;

— *Le courrier sur écran.* Le courrier arrive tout au long de la journée, visualisé ou imprimé — c'est notre nouvelle manière de magasiner, de régler nos factures, de classer le flot d'informations et d'envoyer nos propres informations. Il existe des rabais du genre «offres spéciales d'un jour» de courrier sur écran, très semblables aux anciens «soldes d'un jour». La désuétude des catalogues de vente par correspondance fait prospérer le courrier sur écran.

Avant d'acheter des vêtements, le client superpose sa photo personnelle sur l'écran pour «essayer» les vêtements et vérifier si les styles et les couleurs lui conviennent (tout un progrès par rapport au dessin de son pied pour commander des souliers par catalogue chez *L.L. Bean*!). Les fabricants de vêtements offriront des coupes sur mesure et des choix de couleurs répondant aux goûts du client, en plus d'accessoires particuliers pour «compléter» son habillement.

— L'*info-consommation*. Quelles sont les trois meilleures automobiles sur le marché en ce qui a trait à l'entretien à long terme? Les trois magnétoscopes les plus faciles à utiliser? Les endroits les plus près pour les acheter au meilleur prix? Consultez votre banque de données informatisées pour obtenir la réponse. Vous pourrez alors prendre une décision à l'écran et placer immédiatement votre commande par ordinateur. (La publicité que nous connaissons actuellement n'existera plus.)

Deux formes de magasinage à l'extérieur survivront:

1. *Les boutiques spécialisées* vendant des articles comme de la fine cuisine, des produits domestiques ou personnels. Ces petits marchés locaux «révisés» offrent un service personnalisé. La motivation à vous y rendre (plutôt qu'à utiliser l'écran) relève de la personnalité et du style des propriétaires. Maintenant que de nombreux aspects du magasinage sont informatisés et routiniers, ceux qui restent doivent proposer aux clients une expérience agréable et satisfaisante sur le plan individuel.

2. Les bazars géants, où le magasinage se transforme en théâtre. Débordant d'étalages éblouissants, d'échantillons gratuits et de rabais surprenants, ces nouveaux bazars géants attireront les gens en combinant l'atmosphère d'un centre commercial à l'ambiance d'un cirque. Il faut plus que de la simple marchandise pour faire sortir les gens de leur cocon. Ils viendront avec leur famille pour se *divertir*; le magasinage ressemblera à une visite à Las Vegas ou à Disney World. Les boutiques seront gérées par des imprésarios en marketing, embauchés en vue d'attirer la

clientèle. Un personnel qualifié expliquera la nouvelle technologie et les nouveaux appareils. D'anciens champions olympiques
présenteront les nouveaux appareils d'exercice. Des chefs cuisi-
niers créeront des recettes originales avec des combinaisons iné-
dites de produits alimentaires, attirant les gens par les odeurs de
cuisine et des échantillons à goûter.

Le *magasinage* sera une activité pratiquée deux ou trois fois
par mois, à titre de solution de rechange au cinéma ou aux événements sportifs.

Nous continuerons de *consommer* chaque jour, que ce soit
par écran ou autrement. La fin de notre manière actuelle de magasiner n'est que le début d'une nouvelle forme de consommation: efficace, astucieuse, personnelle et profitable.

La vérité dans la publicité

Je croyais, au cours des années soixante, que la publicité était l'entreprise la plus créatrice. Le monde de la consommation était nouveau, largement ouvert; les annonces publicitaires n'étaient que créativité, sans recherche aucune. J'adorais ce secteur quand j'y fis mes premières armes. J'avais vingt ans et j'avais vu le film *Pillow Talk* trop souvent.

Dans les années soixante-dix et quatre-vingt, on sentait le rétrécissement du monde de la consommation. Les recherches sérieuses alourdissaient les annonces de promesses (souvent insensées) — et les clients n'achetaient que les produits dont les annonces avaient du succès. Le monde de la consommation s'était quantifié.

Dans les années quatre-vingt-dix, les consommateurs ne croient plus aux promesses. Si l'annonce publicitaire prétend que «quatre-vingt-dix personnes sur cent préfèrent *remplir des questionnaires*», nous supposons cyniquement que ces quatre-vingt-dix personnes sont les meilleurs amis et parents du publicitaire. Nous savons que l'on peut faire dire aux chiffres à peu près n'importe quoi. Les chiffres ont désormais perdu leur crédibilité et la créativité ne peut plus se suffire à elle-même. De nos jours, bien des gens réellement créatifs choisissent de devenir entrepreneurs plutôt que de se lancer en publicité.

Avant de fonder BrainReserve, j'avais l'habitude de brasser diverses idées avec Marty Smith, mon patron «futuriste» à l'agence. L'un de nos sujets favoris était la recherche de moyens de purifier et d'ennoblir le «monde de la publicité». Par la suite, lorsque je quittai l'agence avec Stuart Pittman pour fonder notre propre entreprise, nous avons voulu réaliser l'une de ces idées nobles — songeant à lui donner le nom Truth in Advertising (la vérité dans la publicité). Il s'agissait d'annoncer que l'excellence — le

meilleur jus d'orange, la meilleure automobile, le meilleur détergent. Ainsi pensions-nous nous mériter la réputation de dire la
vérité. En 1974, l'idée de la vérité était prématurée; les consommateurs n'étaient pas encore las de la publicité extravagante et
de la nouveauté (sans compter que nous n'avions pas les appuis
nécessaires pour nous doter du matériel de mise à l'essai des
produits).

Mais maintenant, dans les années quatre-vingt-dix, nous
sommes assez las et blessés pour vouloir entendre la vérité. La
vérité dans la publicité. Un tout nouveau secteur d'entreprise
avec quelqu'un comme Ralph Nader en tant que directeur général. Enfin, des annonces et des commerciaux si véridiques qu'on
peut en croire chaque mot. Le nom de l'agence de la publicité
véridique apparaîtrait même à la fin des annonces et serait
responsable des plaintes.

Les alliances se modifieront. Traditionnellement, l'entreprise
cliente et l'agence unissaient leurs forces pour séduire le consommateur. Pour survivre au cours des prochaines années, les publicitaires devront changer d'allégeance et se ranger du côté du
consommateur. La nouvelle association sera celle de l'agence et du
consommateur s'unissant pour obliger l'entreprise à dire la vérité.

La vérité pénétrera le cocon.

Une seule agence pourrait représenter les trois meilleurs produits d'une catégorie. Une annonce publicitaire pourrait dire: «Des
recherches indépendantes démontrent que les entreprises A, B et
C fabriquent les première, deuxième et troisième meilleurs
aspirateurs. Voici en quoi A est meilleur que B et ce que B offre de
plus que A et C.» Il se pourrait que les prix et les caractéristiques
des aspirateurs A, B et C diffèrent. Les consommateurs devront
alors décider des variables qui leur semblent importantes. On leur
donnera toutes les informations nécessaires pour prendre une décision fondée sur la raison plutôt que sur la publicité extravagante.
Cette approche ressemble à celle de *Consumer Reports.* Pour l'obtenir, les clients n'hésiteront pas à débourser.

Il y aura par ailleurs des publicités véridiques sur les écrans de
magasinage (dans les endroits publics ou dans les foyers). Les
consommateurs indiqueront les informations désirées au sujet de
l'achat envisagé. Ces écrans répondront en présentant toutes les
informations nécessaires, recommandant là aussi les trois
meilleurs produits de la catégorie et les points de vente.

Justement, il existe une nouvelle revue intitulée *Allure*, fondée d'après ce concept. Elle promet de dire la *vérité* à propos des prétentions esthétiques, des prix et des emballages. Les fabricants de produits cosmétiques et les agences publicitaires devront agir de manière responsable.

Si la publicité véridique semble trop dépouillée, trop rapide ou trop honnête pour les entreprises américaines actuelles, il faut comprendre que ce sera la publicité de demain. Le consommateur a finalement enlevé la couche de clinquant et de crasse des années quatre-vingt et est prêt à entendre la vérité — à payer pour la vérité, que le monde des affaires y soit prêt ou non.

Briser la barrière de l'âge

Il est incontestable que notre population vieillit, que les plus âgés de l'énorme génération d'après-guerre auront cinquante ans en 1996. Il est en outre vrai qu'une population vieillissante est un groupe insaisissable pour les agents de marketing.

Certains de ces quinquagénaires seront des coureurs de marathon alors que d'autres auront perdu la forme et vieilliront rapidement.

Certains auront des enfants adultes; d'autres seront parents de très jeunes enfants. Certaines mères dont les enfants auront quitté la maison entreprendront une nouvelle carrière. D'autres parents changeront d'emploi, se monnaieront un départ ou changeront d'identité — par un nouveau mariage, une nouvelle résidence, une chirurgie faciale ou corporelle.

Personne n'aura la moindre ressemblance avec les quinquagénaires que se représentent les agents de marketing parce que la cinquantaine ne sera plus ce qu'elle était. Nous «vieillissons» à un rythme physique et psychologique différent de celui de nos parents ou de nos grands-parents. Le quinquagénaire d'aujourd'hui, qui retourne en enfance, a l'air *jeune*.

Notre si bonne mine n'est pas seulement le fait de la vanité, d'une plus longue espérance de vie ou des pressions exercées par une culture axée sur la jeunesse — mais vient aussi de ce que nous ne pouvons nous *permettre* de nous sentir quinquagénaires. Les temps sont difficiles; il est impossible de ralentir. Les gens de la génération d'après-guerre, même les plus âgés, ont encore bien du chemin à faire avant de penser à changer de vitesse.

Les faits n'en demeurent pas moins ce qu'ils sont et peu d'entre nous, malgré tous nos efforts pour rester en vie, peuvent sauter aussi haut ou avoir l'air aussi «inchangés» à cinquante ans que ne l'exigent les circonstances. Les produits pour soulager la tension et enrayer la douleur se tailleront une place sur le marché si on veille à ne pas les étiqueter comme tels.

Pour s'attirer la fidélité de ce groupe, il vous faudra trouver la «norme d'âge» adéquate pour vos produits. Comprenez d'abord que cette clientèle vieillissante se «sent» comme si elle avait environ trente-cinq ans. Une étude récente a démontré que lorsque la majorité des quinquagénaires se regardent dans le miroir, ils réajustent leurs perceptions et se perçoivent comme des gens de trente-cinq ans. Le meilleur moyen de toucher ce consommateur plus âgé consiste alors à s'adresser à ce côté de sa personnalité qui a trente-cinq ans — ce côté vibrant, séduisant, amusant et encore plein d'espoir et de possibilités.

Un exemple pertinent: une grosse entreprise pharmaceutique fit appel aux services de BrainReserve pour trouver l'explication au fait qu'un shampooing destiné au marché des plus de cinquante ans échouait misérablement malgré l'excellence du produit. L'annonce publicitaire montrait un couple séduisant à la retraite, marchant main dans la main dans un jardin de statues italiennes; suivait l'image du produit mentionnant son nom et la clientèle visée: «Pour les 50 ans et +».

Premier problème: l'identification.

On ne veut pas se voir quotidiennement confronté à son âge dans la douche. Les femmes interrogées n'appréciaient guère qu'un shampooing trahisse leur âge.

Deuxième problème: l'imagerie.

Invitées à faire des associations libres, les femmes pensaient que les statues donnaient au jardin une allure de cimetière.

Il faut commercialiser en fonction des *besoins* du quinquagénaire plutôt qu'en fonction de son âge. Dire par exemple d'un shampooing qu'il traite les cheveux très secs (caractéristique habituelle des cheveux des cinquante ans et plus). Présenter ce produit dans un contenant facile à ouvrir et au mode d'emploi imprimé en gros caractères bien lisibles.

Si vous brisez la barrière de l'âge, vous vous apercevrez qu'un bon produit destiné subtilement à une clientèle plus âgée deviendra la norme pour d'autres clientèles. Tout produit confortable, accessible et utilisable pour une clientèle plus âgée est nécessairement confortable, accessible et utilisable pour les autres clientèles (à moins d'être spécifiquement pour les personnes plus âgées comme le produit Depend).

En suivant cette piste, vous éviterez la tentation de commercialiser des produits cosmétiques avec une ligne de crèmes faciales et de fonds de teint portant une photo de femme «d'âge mûr». Votre ligne de produits de beauté devrait viser toute personne ayant la peau sèche.

Alors, créez un «Geritol nouvel âge aux herbes» avec des personnes plus jeunes sur l'étiquette.

Remplissez les Pop-tarts de prunes.

Et cessez de montrer des nonagénaires ratatinés pour représenter les grands-parents d'un nouveau-né.

Maintenez la norme d'âge à cinquante ans — mais cinquante ans sur le point d'en avoir trente-cinq ans. Formidable et essentiel.

Quand on lui déclara qu'elle avait l'air vraiment jeune à cinquante ans, Gloria Steinem rétorqua: «Mais c'est cela la cinquantaine!»

Tirer profit de la croisade des enfants

Si les années soixante ont vu apparaître les *Peaceniks*, les années soixante-dix les hippies, les années quatre-vingt l'ostentation et la cupidité, les années quatre-vingt-dix seront celles de la croisade des enfants: ils remanieront notre politique étrangère, changeront nos conceptions de l'éducation et sauveront notre environnement.

Il ne faut pas les sous-estimer, autrement il faudra en payer le prix, comme l'entreprise Bumble Bee, frappée par le boycottage du thon. L'utilisation de filets qui prenaient au piège de malheureux dauphins toucha particulièrement le cœur des écoliers américains. Ils cessèrent de manger du thon et leurs parents cessèrent d'en acheter.

Voilà un exemple clair de la manière dont la croisade des enfants utilisa ses jeunes muscles et exerça son influence sur les décisions familiales en matière d'achats. Mais les enfants ont en outre leur propre pouvoir d'achat (le «marché des mômes» âgés de quatre à douze ans et dépensant de la menue monnaie, représente un marché d'environ 75 milliards de dollars). Selon *Forbes*, les grosses dépenses vont aux jeux vidéo les plus récents (une valeur d'environ 20 milliards de dollars) et à la poupée Barbie âgée maintenant de plus de trente-deux ans (qui porte des déshabillés haute couture coûtant plus de 100 dollars). Avec son slogan d'une simplicité désarmante: «Mon premier appareil Sony», Sony attaqua ce marché et adressa son produit directement aux enfants. Elle s'est ainsi assurée d'une nouvelle génération d'acheteurs fidèles de ses produits. Brillante stratégie.

Les enfants d'aujourd'hui, se détournant de la télévision, ont été marqués à un âge précoce et impressionnable. Ce sont des enfants qui quittent l'école pour rentrer dans un foyer vide et qui doivent faire les achats: détersifs, nourriture pour chien et plats congelés. Ils découpent les coupons rabais et connaissent les marques de commerce. Qu'on pense au garçon du film *Maman, j'ai raté l'avion* et à la manière dont il harcèle la caissière pour savoir si la brosse à dents qu'il veut acheter est approuvée par l'association dentaire américaine. Les enfants d'aujourd'hui savent quelles questions poser.

Blague à part, ces mêmes enfants forceront leurs parents à prendre les bonnes décisions en matière d'environnement et de morale. Pauvre mère qui achète encore les jus dans des cartons teints à la dioxine ou qui ne recycle pas les boîtes de conserve!

Reportons-nous à l'un des pires souvenirs scolaires de la génération d'après-guerre: l'exercice en cas d'attaque nucléaire. Nous étions rassemblés dans les corridors et on nous disait de nous asseoir par terre en nous couvrant la tête des mains. Pour nous protéger d'une attaque nucléaire! Mais pensons à la terreur actuelle. Avoir une imagination d'enfant et entendre parler de réchauffement de la planète, de nourriture empoisonnée, d'eau polluée, d'air irrespirable et de destruction des forêts tropicales!

Pas étonnant que les enfants aient peur. L'environnement constitue le champignon atomique de cette génération. L'environnement est donc la mission noble de la croisade des enfants. Ils s'aperçoivent que les dangers pour la santé auxquels ils sont confrontés sont d'origine humaine. Ils comprennent qu'ils sont en train de devenir une espèce en voie de disparition. Ces enfants sont les prochains consommateurs avertis.

Ils feront la leçon à leurs parents.

Les enfants pourront un jour (prochainement) communiquer à l'aide de leur Nintendo avec tous les autres enfants de la planète. Ils se convaincront mutuellement de participer à la croisade pour sauver les baleines, sauver l'eau, sauver la planète. Il s'agira essentiellement de joindre leurs forces en une croisade interculturelle. Ainsi se dessinent les choses.

Comment atteindre les enfants en croisade? Faites comme l'entreprise de vêtements sport Patagonia et donnez chaque année 10 pour cent de vos profits à des causes environnementales à petite échelle, comme de parrainer des écoliers pour le nettoyage d'un ruisseau presque mort. Affichez ouvertement votre sens moral et dites-leur exactement ce que vous faites. Soyez honnête. Leur instinct ne les trompe pas. Ils adorent les promesses tenues et les garanties réelles.

— Donnez aux enfants un numéro de téléphone sans frais 1 800 (pour les dix-huit ans et moins).

— Devenez leurs correspondants.

— Embauchez des enfants pour siéger à votre conseil d'administration.

Ensuite, écoutez-les et tirez-en les leçons.

SIXIÈME PARTIE

INDICES D'AVENIR

Sortir de la marmite pour aller vers l'avenir.

Indices des tendances

Qu'est-ce qui vient ensuite? Que se passe-t-il quand tous les produits montrés en magasin sont conformes aux tendances? Quand la diversité (et la perversité) de la nature humaine commence à se réaffirmer? D'où viendront les prochaines tendances?

La meilleure façon de percevoir les signes précurseurs de «nouvelles» tendances consiste à bien comprendre l'évolution des tendances actuelles. Les tendances franchissent des étapes transposables en graphiques. Avant de mourir, une tendance subit de nombreuses transformations. Au début des années quatre-vingt, nous avons par exemple observé que le rythme de vie s'accélérait. Nous l'avons baptisé «le syndrome d'accélération». Comme les choses s'accéléraient encore plus, nous avons rebaptisé la tendance «vies multiples». Les femmes occupaient deux emplois et élevaient une famille. Le télécopieur augmenta notre semaine de travail en rejetant des piles de messages («donne-moi des nouvelles ce soir») à l'heure même de quitter le bureau. Les téléphones sans fil ont pour leur part transformé chaque endroit (automobiles, avions, taxis, trains) en bureaux mobiles. Les vies multiples constituent la description exacte d'un peuple se déplaçant à fond de train pour aller nulle part.

On peut en dire autant de la tendance à la qualité numéro un qui se changea graduellement en qualité (les mots «numéro un» évoquant par trop un prix excessif). Après l'effondrement du marché boursier en 1987, la tendance à la qualité, avec ses connotations élitistes, se réduisit aux petites gâteries, reflet d'une soudaine sobriété. Renonçant aux articles très onéreux, les gens se consolaient par de petits plaisirs — chocolats (plus de 2 milliards de kilos), fleurs et crème glacée ultra-riche et chère.

Un aperçu de l'avenir d'une tendance: le *cocooning* va probablement se transformer en enfouissement: les consommateurs n'en pourront plus, se figeront et disparaîtront pratiquement du marché pour une période d'environ un an.

La suite de l'histoire? L'évolution nous fera sortir de nos terriers. Nous referons surface et nous regrouperons en clans avec des gens semblables à nous (de 20 à 20 000 membres). L'égonomie et le marketing de niche gagneront une importance nouvelle au fur et à mesure que se fera sentir le besoin de produits destinés aux membres de clans.

Pour aiguiser vos facultés de perception des tendances, vous pouvez par exemple surveiller de près les indices apparaissant dans certains types de nouveautés. Chez BrainReserve, nous lisons attentivement tout article traitant de:

- nourriture: nouveaux produits, restaurants à la mode, livres de recettes les plus vendus;
- tout lancement de produits nouveaux, bien vendus ou non;
- transformations au sein de la structure familiale;
- changements dans le milieu du travail;
- environnement: les gens sont-ils motivés à changer?;
- économie: le niveau de peur grimpe-t-il?;
- humeur culturelle générale: anxieuse ou optimiste?

En vous servant des tendances actuelles comme point de référence, vous pourrez alors interpréter les choses de manière à les mettre vous-même en rapport avec les tendances.

Vous lisez par exemple que de plus en plus de quartiers se dotent de sentinelles armées. Le *lien* à faire: le cocon baladeur est en train de disparaître et nous assistons aux débuts de l'enfouissement.

Vous lisez qu'un nouvel aménagement intérieur d'«escalade de rocher» vient d'ouvrir ses portes dans votre quartier. À Denver, au Colorado, il existe des parcs d'amusement intérieur de la dimension d'un magasin, appelés Big Fun et qui comptent des autos tamponneuses, des labyrinthes, un musée et un café. Le *lien* à faire: l'aventure fantastique s'éloigne encore plus du réel et du dangereux.

Vous voyez des serveuses en tablier qui servent désormais des Whoppers aux tables entre 17 h et 20 h dans les 900 restaurants Burger King. Le lien à faire: l'égonomie gagne la scène du prêt-à-manger, libérant les clients de la cohue et de la pagaille pour leur offrir de l'attention personnelle et du service.

Vous entendez dire que quelqu'un a organisé un boycottage majeur de l'eau Evian parce que cette entreprise utilise encore des bouteilles de plastique non réutilisables (cela ne s'est *pas encore* produit!). Le *lien* à faire: le consommateur averti est de plus en plus en colère.

Ou alors vous remarquez qu'une tendance entreprend une nouvelle phase en raison de nouveaux produits en voie de fabrication.

Supposons qu'apparaît une nouvelle cigarette (ce qui n'est pas encore le cas). Cette cigarette ne se vend qu'à l'unité, elle est faite à partir du meilleur tabac et se présente dans un emballage élégant du genre de la menthe digestive des occasions spéciales. Les ventes démarrent. C'est probablement une nouvelle réaction — ou une contre-tendance de la tendance à rester en vie: les gens en ont peut-être assez de la vertu et se croient capables de n'en fumer qu'une seule. Le *lien* à faire: le succès d'un tel produit pourrait être le signe d'une nouvelle décadence à surveiller ailleurs. Le consommateur averti devient hédoniste.

La crise du Golfe a attiré notre attention sur l'eau souillée de pétrole, beaucoup plus que ne le fit la catastrophe du *Valdez*. Nous avons commencé à réaliser l'importance de l'eau pour la survie: des lits de mousse marine, des dauphins, des oiseaux... et de l'espèce humaine. Le *lien* à faire: demandez-vous d'où provient l'eau servant à la fabrication des boissons gazeuses. Existe-t-il des normes nationales pour la qualité de l'eau? (Non, il n'y en a pas.) Le *lien*: les boissons gazeuses provenant du Maine contiennent probablement de l'eau plus pure que celles provenant de New York. Un *lien plus important*: le consommateur ne désire pas seulement la liste des ingrédients mais aussi leur provenance. Une *idée*: comment se fait-il que je me soucie de l'eau que je bois mais que je ne me suis guère souciée de l'eau que mon bébé consomme? *Idée pour un nouveau produit*: de l'eau de source pour bébés, de l'eau pure provenant des sources des glaciers d'Alaska.

Voilà la façon dont fonctionne ce genre de liens.

Mais que se passe-t-il si vous remarquez une chose dont l'évidence saute aux yeux? Supposons par exemple que vous ayez remarqué qu'au déclenchement de la guerre du Moyen-

Orient, tous vos voisins sortirent subitement des mâts et se mirent à hisser quotidiennement le drapeau américain.

L'évidence: le patriotisme refait surface.

Le lien: l'Amérique est à la mode.

Le résultat: une confiance renouvelée dans les automobiles américaines, dans la technologie américaine. Un nouvel enthousiasme pour les marques américaines.

Le signal est simple: l'anti-missiles Patriot n'était-il pas efficace? (Un beau nom pour une nouvelle voiture, pour un enfant ou un chien.)

Si nous pouvons maintenir ce niveau de qualité — et de fierté — tous les produits américains en bénéficieront.

Lors d'une émission télévisée matinale, une entrevue avec une employée de l'usine fabriquant les Patriot et expliquant le soin avec lequel chaque boulon était fixé, nous fit retourner subitement aux années quarante — Rosie la riveteuse était de retour.

Voilà la manière de décoder un indice, de flairer une tendance. Il suffit de regarder ce qui se passe autour de soi.

Prospérer (encore plus)
dans les années quatre-vingt-dix

«Tel un déjà-vu, du début à la fin.»
Attribué à Yogi Berra[45]

En affaires, un *pattern* de maintien est un *pattern* rétrograde. On ne peut tout simplement pas demeurer tel quel. L'époque à laquelle les consommateurs se contentaient du familier est révolue. La tradition ne suffit plus, mais il arrive parfois que les meilleures idées *d'avenir* jaillissent de ce qui vous entoure déjà.

Il y a des marques, de grands noms, qui ne meurent ou ne disparaissent jamais. Quelques-unes ont connu une période de latence et doivent être réactivées en fonction des tendances. D'autres, malgré leur statut de géants, peuvent encore gagner du terrain, de la qualité et du raffinement. En voici des exemples:

— Green Giant: en se servant habilement de ses atouts, cette entreprise peut s'approprier l'orientation végétarienne (saine et anti-cancer) et Sprout pourrait lancer une nouvelle ligne de produits pour enfants.

— Bon Ami: les gens vont peut-être se rattraper avec ce nettoyant sûr et écologique (si pur et non toxique que vous pouvez même vous en servir pour vous brosser les dents).

— Ford et Chrysler: si elles recréaient le modèle T-bird 1957 et la familiale Town and Country avec la technologie des années quatre-vingt-dix, elles pourraient ranimer chez les Américains le goût des produits américains.

— Cream of Wheat: en réactualisant l'ancienne image de cet aliment comme symbole par excellence du réconfort maternel, la

---

45. Joueur de baseball américain célèbre. (N.D.T.)

compagnie pourrait créer un petit déjeuner rétro rivalisant avec Quaker. C'est la chose à faire.

— Digestifs (Fernet-Branca, grappa): les boissons digestives des années quatre-vingt-dix pourraient se doter d'une véritable aura de santé. Des effets médicinaux — plus amusante que l'Alka-Seltzer.

— Speedy (comme l'Alka-Seltzer): ressuscitons ce nom! Pour des kiosques de réparation immédiate des téléviseurs, des télécopieurs, des téléphones cellulaires, des répondeurs téléphoniques. Quel soulagement pour les consommateurs empêtrés dans la haute technologie!

— Schwinn: la nouvelle génération de cyclistes nouvel âge voudra sûrement faire l'essai de la Rolls-Royce des bicyclettes.

— Haig & Haig Pinch: comme nous consommons moins d'alcool et recherchons la qualité, nous serons plus attirés par ce fabuleux scotch. L'étroite bouteille rappelle les consommations «glamour» du début des années cinquante.

— Timex: comme nous ne nous préoccupons plus seulement «d'être à l'heure» mais aussi de «rester chez soi en sécurité», il y a là pour Timex une belle occasion de fournir des systèmes de sécurité à installer soi-même et à un prix abordable.

— Tupperware: passons de la cuisine au jardin! Pourquoi ne pas lancer une ligne d'outils de jardinage (ou d'outils tout court) vendus à la maison et arborant la garantie de fiabilité Tupperware?

— Levi's: les Américains adorent porter des jeans Levi's. C'est le moment idéal pour l'apparition d'une chaîne nationale d'hôtels à l'aspect rude des ranchs.

— Merck: profitant de sa bonne réputation en matière de médicaments, Merck pourrait créer et ouvrir la voie à la future industrie des produits «alimaceutiques» — offrant des «plans d'alimentation saine» comprenant des aliments pour le corps/esprit et vendus par correspondance.

— Kleenex: des produits de nettoyage hypo-allergènes pour éliminer la poussière, le pollen et les toxines constituent pour cette compagnie «anti-éternuements» un saut naturel vers l'avenir.

— Vitamines Miles (One-a-day): cette compagnie met le cap vers le millénaire et au-delà avec un implant cutané qui injecte dans le sang les vitamines et minéraux en fonction des besoins de l'organisme.

— Pathfinder: l'avenir réside dans leur nom. L'entreprise pourrait explorer d'autres sentiers en se lançant dans des secteurs comme les guides touristiques, les cassettes audiovisuelles, les atlas, les cartes routières et les lampes de poche.

— McDonald: De «l'alimentation des enfants» à l'«alimentation et l'amusement des enfants», l'avenir de McDonald pourrait bien être une chaîne de centres d'accueil pour les enfants, un positionnement respectable (et profitable) pour les prochaines années.

— Jeep: pourquoi ne pas envisager une ligne de vêtements et de matériel de camping de style aventurier (pour les campeurs et les aspirants-campeurs)?

— Ordinateurs Apple: grâce à son génie de la haute technologie «à portée de la main» et d'«utilisation amusante», Apple est en parfaite position pour inaugurer des centres pour personnes atteintes de troubles d'apprentissage, mettant ainsi l'informatique au service des dyslexiques et des bègues.

— Carter's: il fut un temps où cette entreprise s'était appropriée l'heure du coucher. Elle pourrait d'autant mieux le faire au nouvel âge avec une tisane aux herbes, apaisante et soporifique, destinée aux enfants.

— Whitman's: le chocolatier traditionnel des Américains (dont chacune des friandises est dûment identifiée) pourrait combler tant les besoins des gens retournant en enfance que ceux des gens soucieux de rester en vie et des gens aux vies multiples avec un prototype de dessert frais, disponible en pharmacie et à l'épicerie.

— Buster Brown: une entreprise qui pourrait encore une fois révolutionner l'industrie de la chaussure avec des souliers sur mesure pour les enfants — grâce aux sonogrammes. (Vous vous souvenez des ajustements par rayons X de votre enfance?) Ce serait là une nostalgie sûre avec service personnalisé.

— Perdue: le roi du poulet pourrait apposer sa formidable marque sur le poisson d'élevage, le secteur alimentaire de l'avenir.

— Johnson & Johnson: ces gens qui prennent si bien soin des bébés devraient ouvrir une chaîne de centres communautaires (axés sur le travail) pour les aînés. Une entreprise s'occupant des gens, du début à la fin!

À votre tour maintenant d'imaginer d'autres idées.

Bref aperçu des années quatre-vingt-dix

*Quand on connaît l'avenir,
il est assez facile de comprendre le présent. 1990*

Les nouvelles sont bonnes. Nous finirons par apprendre à maximiser notre technologie, à faire durer nos ressources et à sauver nos âmes.

Cette décennie sera celle des consommateurs faisant appel à leurs ressources intérieures pour lutter contre les dangers et les menaces extérieures: situation économique, criminalité, moralité, environnement.

La non-violence sera un leitmotiv — de la thérapie à l'alimentation. Les séances de cri primal datant d'une ou deux décennies (ne trouvez-vous pas que l'expression «cri primal» a aujourd'hui une consonance redondante?) prendront une allure passivement sereine dans les nouvelles cliniques du cerveau dans lesquelles des doses de lumière vous revigoreront tout en vous détendant.

Nous voudrons en outre une nourriture non entachée de violence. On se demandera peut-être si les légumes souffrent quand on les arrache de terre, mais il est clair que nous ne voulons pas d'une nourriture résultant de traitements cruels. Souvenez-vous de la campagne de la chanteuse country K.D. Lang avec son slogan «la viande pue» qui s'en prenait à l'abattage brutal du bœuf et de la campagne de presse en faveur de cages à poulet plus grandes et plus confortables. Le secteur de la mode a lui aussi compris le message: plus de fourrures prises sur les animaux sauvages, plus de pièges au sol.

Le renforcement des ressources intérieures deviendra un gros marché — aliments pour modifier l'humeur; soins personnels; gestion du stress et appareils environnementaux tels que des tiges sensibles à la pollution pour filtrer et vérifier la qualité de l'air, de l'eau et de la nourriture.

PERSPECTIVES D'AVENIR

Voici de nouvelles pensées, de nouvelles idées d'affaires susceptibles, à mon avis, de nous faire plonger dans l'avenir immédiat ou lointain.

— *L'évasion contrôlée*: les ordinateurs nous amèneront par la pensée en Afrique, en pleine forêt tropicale du Brésil, ou aux Himalayas. Ou alors ils nous feront voyager dans le temps jusqu'à l'époque de la Révolution française ou à l'époque tranquille de notre propre enfance ou de celle de nos parents et de nos grands-parents.

— *L'ère du cerveau*: la fin des années quatre-vingt-dix verra naître un nouveau respect de la «réflexion pour survivre». Nous avons appris qu'à elles seules, la technologie et la force brute ne nous ont pas menés bien loin. S'ensuivra une soif de connaissances, encouragée dans des endroits tels des gymnases du cerveau pour exercer nos facultés intellectuelles et des cerveau-clubs pour se livrer à des jeux de l'esprit (une nouvelle industrie très florissante et dont les débuts remontent aux années quatre-vingt avec l'apparition du Nintendo). Une bonne chose pour tous ces enfants devenus trop relâchés sur le plan intellectuel en raison d'un excès de confiance dans les calculatrices et les ordinateurs. Nous pourrons nous procurer des herbes stimulant l'intellect et des eaux de créativité aiguisant l'esprit et augmentant nos capacités intellectuelles.

— *Temps de repos*: dans un environnement s'appauvrissant sur les plans écologique, moral et éducatif, le fin du fin en matière de vacances sera une année sabbatique. Cette année en dehors de la vie normale deviendra la gâterie des années quatre-vingt-dix, créant une nouvelle industrie de conseillers hors-carrière, de planificateurs et de destinations nouvelles.

— *La beauté comme science*: libérateurs du temps, des implants cutanés vous débarrasseront graduellement de votre âge. La chirurgie de reconstruction vous fera plus grand, plus large, plus fort, plus droit et pourra améliorer votre vision et votre ouïe.

— *L'éco-installation*: tout abandonner pour aller s'établir dans une région plus pure, plus saine et plus sûre. Pour de bon et pour le bien de vos enfants.

— *La famille élargie*: les gens (mariés ou non, vivant seuls ou avec d'autres) adopteront des nourrissons, des enfants et d'autres adultes moins fortunés qu'eux.

— *Les enfants en tant qu'experts*: nous finissons par admettre la puissance intellectuelle, la perspicacité et l'intuition des enfants et nous les consultons pour des avis professionnels, les faisons siéger aux comités les plus importants, les élisons à des fonctions politiques et les nommons arbitres de la paix. «Et un petit enfant nous conduira» sera le slogan pacifiste de la fin des années quatre-vingt-dix.

— *Possédez votre androïde personnel*: ce ne seront plus des êtres humains qui conduiront les autobus, assumeront le service aux caisses et dans les restaurants. Ils seront remplacés par des colonies d'androïdes capables de promener le chien ou de faire la guerre à votre place, et ils ne seront pas syndiqués.

— *L'industrie du compostage*: des boîtes de compostage (à air comprimé) faciles à fabriquer et à installer dans la cuisine, de même que des amas clôturés dans chaque cour. La réduction des déchets devient une entreprise florissante avec des conseillers en compostage, des livres, des cassettes vidéo et du matériel.

— *Écran de sécurité*: un appareil miniature doté d'un contrôle à distance pour surveiller votre entrée principale, votre bébé, les pièces de la maison, vous donner vos messages et même éteindre le four quand le rôti est cuit.

— *Les architectes du rêve*: une nouvelle entreprise de consultation aidera les individus à identifier et à réaliser leurs rêves. Nous apprendrons à réaliser nos rêves à courte, moyenne ou longue échéance, que ce soit en affaires, en arts ou en sciences.

— *Haltes-nourrissons*: pour soulager les promeneuses. Des endroits offrant aux bébés des aliments sains et prêts-à-manger — dans les magasins à rayons, les parcs d'attractions ou le long des routes.

— *Les nouveaux héros*: les sauveurs de l'environnement — de ces scientifiques qui nettoient les nappes de pétrole jusqu'au personnage d'une émission populaire appelé *Eco-Man* (l'homme-écolo). Surveillez la popularité d'un nouveau diplôme de deuxième cycle, la maîtrise en écologie.

— *Apparition de cliniques médicales/légales*: dotées non pas d'un personnel dûment diplômé en médecine ou en droit, mais d'associés connaissant suffisamment le système pour fournir les premiers soins ou un avis rapide — injections, prescriptions, conseils.

— *L'indicateur de fiabilité*: un petit ordinateur portatif qui vous fournira la position sociologique, environnementale et morale de n'importe quelle entreprise existante. L'appareil vérifiera les poids par rayon laser et tiendra même le compte total.

— *L'enfant perdu et retrouvé*: une microplaquette implantée par le dentiste dans la dent de l'enfant ou sous la peau et qui permettra de le repérer par satellite où qu'il aille toute sa vie durant.

Voici le premier chapitre
de mon prochain livre

Étant donné que l'avenir est toujours devant soi.

Les tendances ne meurent jamais.

(Et l'avenir n'est jamais ici.)

Si bien qu'après avoir lu ce livre, vous vous direz nécessairement: «Et après, après, après.»

Annexes

Glossaire

TENDANCES IDENTIFIÉES PAR BRAINRESERVE

Aventure fantastique: l'époque moderne stimule notre envie de sortir des sentiers battus.

Cocooning: le besoin de se protéger contre les aspects difficiles et imprévisibles du monde extérieur.

Consommateur averti: le consommateur manipule les agents de marketing et le marché au moyen de pressions, de protestations et de la politique.

Départ monnayé: des travailleurs des deux sexes qui remettent en question la satisfaction personnelle/professionnelle et leurs objectifs et choisissent une vie plus simple.

Égonomie: à l'époque froide de l'informatique, on ressent l'envie de s'affirmer comme individu.

Petites gâteries: les consommateurs tendus veulent se gâter avec des luxes abordables et cherchent des moyens de se récompenser.

Rester en vie: la conscience qu'une bonne santé augmente la longévité incite à un nouvel art de vivre.

Retour en enfance: regrettant leur enfance insouciante, les gens de la génération du baby-boom trouvent un réconfort à rechercher des produits ou des activités leur rappelant leur enfance.

S.O.S. (Au secours de notre société): le pays redécouvre un sens social du devoir, de la passion et de la compassion.

Vies multiples: le rythme trop rapide et le manque de temps provoquent une schizophrénie sociale et nous forcent à assumer plusieurs rôles et à nous adapter facilement.

EXPRESSIONS PROPRES À BRAINRESERVE

Action-tendance: un produit de BrainReserve combinant l'atelier-tendances et une session de remue-méninges pour produire entre 75 et 200 idées originales axées sur les tendances.

Actualités publicitaires: un journal personnalisé de l'avenir, imprimé à même l'écran de votre ordinateur personnel; composé d'annonces publicitaires, de coupons rabais et d'actualités.

Adultes du nouvel âge santé: des consommateurs qui considèrent leur santé et celle de la planète comme des priorités.

Ajustement par adrénaline: l'utilisation de l'énergie issue de la crainte d'un désastre à des fins constructives. Une source d'énergie pour changer l'avenir.

Alimaceutiques: une industrie alimentaire de l'avenir. Une nourriture dépassant la seule fonction alimentaire — dotée de qualités thérapeutiques et consommée pour des raisons de santé.

Aliments pour modifier l'humeur: un type d'«alimaceutiques» consommés pour des besoins émotifs précis: pour se calmer, pour se revitaliser, pour combattre la dépression, pour pouvoir «donner le change».

Analyse de la conformité aux tendances: une méthode selon laquelle les idées, produits, entreprises et autres éléments sont analysés en fonction des tendances afin d'évaluer leurs possibilités d'avenir.

Arrogance nouvel âge: un phénomène culturel suscité par la génération vieillissante d'après-guerre selon laquelle avoir «plus de quarante ans» revêt plus de prestige qu'avoir «moins de trente ans».

Atelier-tendances: un atelier de présentation de la conception globale de BrainReserve en matière d'avenir: les tendances et la manière d'identifier les tendances; questions et réponses.

Se blottir les uns contre les autres en petits groupes: une forme particulière du cocon socialisé où les gens se rassemblent à la recherche de sécurité et de réconfort mutuel. (Voir également Cocon social.)

Essai universel: un filtre pour organiser ce que l'on voit, entend et lit de façon à vérifier la direction du marché.

BrainReserve: une agence de consultation en marketing; une petite clinique qui prend soin de la pensée sur l'avenir. Fondée en 1974.

Bureaux à la maison: la construction, l'ameublement, l'équipement et l'«entretien» de bureaux à la maison, une bonne occasion d'affaires dans l'avenir.

Le chic de la cabane en rondins: un style reposant sur l'amour de l'artisanat, du primitif, de l'allure et de l'ambiance propres à «l'American Frontier». Surtout en matière de meubles et de vêtements.

Cocon baladeur: recréer le confort et l'intimité du foyer dans les moyens de transport: l'automobile, la mini-fourgonnette, le train, l'avion.

Cocon blindé: l'évolution de la tendance au *cocooning* dans sa deuxième décennie, alors que les industries de la paranoïa et des systèmes d'alarme «arment la forteresse».

Cocon social: le fait d'inviter ses meilleurs amis à venir chez soi (dans le cocon) pour se réconforter mutuellement et combattre la solitude. (Voir également Se blottir les uns contre les autres en petits groupes.)

Contre-attaque: les luttes conscientes des consommateurs pour exercer leur influence en matière d'environnement, de gouvernement et de produits.

Contre-tendances: l'envers d'une tendance. Faire une chose allant totalement à l'inverse. Un bon exemple: en bonne forme/embonpoint (faire de l'exercice [tendance à rester en vie] pour ensuite se gaver de sucreries: [petites gâteries]).

Croisade des enfants: un phénomène social et culturel qui se dessine à l'horizon, dans lequel les enfants constituent la force motrice pour sauver la planète.

Décennie de la respectabilité: la décennie des années quatre-vingt-dix au cours de laquelle les entreprises et les consommateurs retourneront aux valeurs traditionnelles. Un engagement envers l'environnement, la morale, l'éthique.

Décession: une consommation de récession économique avec une façon de penser typique de la dépression.

Déchiffrer la culture: surveiller les indices culturels — revues, journaux, livres, cassettes vidéo, films, télévision, musique, spectacles, modes alimentaires — de manière à «se faire une idée» des prochaines tendances.

Dépistage des tendances: une méthode de compréhension des évolutions d'une tendance selon une époque précise. Ou l'action de chercher la confirmation de tendances existantes ou naissantes. L'une des fonctions du fichier-tendances de BrainReserve.

Deuxième avis: un service offert par BrainReserve pour évaluer les prévisions d'une entreprise (ventes, marketing ou nouveaux produits) à la lumière des tendances.

DOBY'S: acronyme anglais pour *Daddy Older, Baby Younger* (hommes d'un certain âge qui se retrouvent pères de jeunes enfants). Une nouvelle catégorie de pères d'âge mûr qui en sont souvent à leur deuxième (ou troisième) période de reproduction. (Voir aussi MOBY'S.)

Élaboration en fonction des tendances: le processus de «remodelage» d'un produit, d'une entreprise ou d'une idée en fonction des tendances, dans le but d'un rapprochement vers les désirs et les besoins des consommateurs. Une correction ou modification pour assurer la longévité.

Élasticité du temps: le phénomène du ralentissement, de l'accélération ou de l'arrêt momentané de l'heure du consommateur, en réaction à des événements extérieurs ou aux tendances.

Enfants boomerang: des enfants devenus adultes qui quittent le nid, trouvent la vie trop difficile et retournent vivre avec leurs parents.

Enfants à clé: une tranche de population composée d'enfants qui reviennent de l'école dans un foyer vide. Ils se «débrouillent seuls» et sont chargés des emplettes et de la préparation des repas.

Enfants de la planète: une nouvelle génération d'enfants qui se perçoivent comme citoyens du monde. Ils se distinguent par un souci marqué de l'avenir. (Voir aussi Enfants de la survie.)

Enfants de la survie: nouvelle génération d'enfants pour qui la survie est la principale préoccupation: qu'il s'agisse de leur survie personnelle (au bas de l'échelle socio-économique) ou de celle de la planète. (Voir également «Enfants de la planète.)

Enfants trophées: enfants trop gâtés, nés de parents d'un certain âge qui considèrent ces jeunes enfants comme une autre de leurs réussites professionnelles.

Enfouissement: le *cocooning* ultime où les consommateurs se terrent toujours plus profondément, avec une mentalité de «bunker».

Envers de la médaille: l'autre face de la réalité en ce qui a trait aux tendances. (Voir également Contre-tendances.)

Extrêmes (exercice des): la projection du pire scénario futur d'une entreprise ou d'un concept, pour ensuite revenir au présent, en suivant la piste des tendances, afin de déterminer une marche à suivre.

Fans-revues: publications périodiques s'adressant à une clientèle très spécialisée.

Fichier-talents: réseau informatisé de BrainReserve et comptant plus de 2 000 noms de personnes brillantes sur appel; la réserve de «cerveaux» de la compagnie.

Fichier-tendances: le répertoire de BrainReserve réunissant toutes les informations sur les tendances; une base de données issues d'entrevues auprès des consommateurs et de l'étude de la scène culturelle.

Flash-tendances: les dernières nouvelles!

Focalisation sur l'avenir: un produit de BrainReserve fournissant des stratégies et des idées de marketing comportant des avantages compétitifs importants à long terme.

Folklorisation de l'Amérique: un phénomène culturel dans lequel les philosophes et les valeurs simples et naturelles de la campagne se gagnent les faveurs populaires.

Formation de clans: le regroupement en «cocons sociaux» de gens en fonction d'une caractéristique commune: liens de parenté, intérêts particuliers, causes politiques, similitude de goûts.

Fréquentation des salons et des bars: une facette du cocon social: de petits groupes informels se rencontrent à la maison en raison d'intérêts communs ou s'aventurent à l'extérieur en cocons sociaux dans les bars ou restaurants locaux.

Se gâter à rabais: un phénomène en vertu duquel les gens recherchent les produits prestigieux et onéreux au meilleur prix possible.

Haute couture de masse: la fabrication individualisée de vêtements personnalisés d'excellente qualité, et disponibles à grande échelle.

Info-achat: le système du futur de recherche informatique à la maison. Le consommateur demande à la banque d'informations les données concernant des achats et commande ensuite sur ordinateur (ou info-achète) ses choix.

Langage du consommateur: un langage utilisé par les consommateurs qui ne représente pas toujours la réalité.

Langage des tendances: un langage n'ayant qu'un temps futur.

Ligne téléphonique 1 000: la prochaine ligne après les lignes 1 800 et 1 900; plus coûteuse pour le consommateur, elle fonctionnera vingt-quatre heures par jour, sept jours par semaine et offrira réellement de l'aide et des informations.

Lunette des tendances: façon de regarder le monde au moyen de la lunette spécialisée des tendances.

Machine de réalité domestique: l'ordinateur domestique utilisant le logiciel qui crée la réalité virtuelle. (Voir également réalité virtuelle.)

Marques distinctes: les produits ou les entreprises qui se démarquent en matière de caractère, de style, de qualité et de personnalité.

MOBY's: Acronyme de *Mommy Older, Baby Younger* (femmes d'âge mûr ayant de jeunes enfants). Une nouvelle tranche de population composée de femmes devenant mères à une époque tardive. (Voir également DOBY's.)

Nouvelle décadence: une nouvelle tendance probable (tendance en progression).

Pensée créative: une étape de la méthodologie propre à Brain-Reserve. Une séance de formulation d'idées, à laquelle participent des membres du fichier-talents triés sur le volet ou des consommateurs s'exprimant avec aisance et dont l'objectif consiste à générer un maximum d'idées.

Pensée critique: une étape de la méthodologie propre à Brain-Reserve au cours de laquelle ses employés évaluent les résultats des séances de remue-méninges et de pensée créative, en fonction des tendances.

Personnes prises en sandwich: une nouvelle catégorie d'individus. Des adultes d'âge mûr confrontés à de doubles responsabilités à long terme: le soin de leurs enfants et de leurs parents âgés.

Positionnement respectable: une ligne de conduite adoptée par les entreprises et consistant «à être bons et à faire le bien» dans le but d'établir avec le consommateur une relation fondée sur la confiance.

Préoccupation de bien-être: le désir d'une bonne santé (et d'une bonne forme physique); la peur de la maladie et des coûts médicaux à la hausse.

Prévention en affaires: une méthode d'utilisation des tendances pour réorganiser les priorités ou diversifier une entreprise non conforme aux tendances. Prendre des mesures avant que ne survienne le désastre.

PUPPY's: acronyme de *Poor Urban Professionals* (professionnels urbains pauvres).

Rationalisation: une réaction à la tendance aux vies multiples: les consommateurs réduisent leur train de vie et réorganisent leur vie.

Réalité virtuelle: une technologie permettant de synthétiser un monde interactif d'apparence réelle grâce à des images et à des sensations engendrées par ordinateur. (Voir aussi Machine de réalité domestique.)

Relance des marques de commerce: un service offert par Brain-Reserve consistant à insuffler une nouvelle vie à des marques en déclin.

Retour à la maison: des femmes de carrière remettent en question le monde des affaires, choisissant d'autres types d'entreprises ou de nouveaux défis, ou même la maternité.

Rétro-vieillissement: l'état d'esprit juvénile des années quatre-vingt-dix.

Saut dans l'avenir: de nouvelles idées d'affaires pour l'année en cours et l'avenir éloigné.

Séance de remue-méninges: sessions organisées par Brain-Reserve qui utilisent les tendances comme tremplin de réflexion. Un «groupe d'étude» spécialisé.

Sens moral en affaires: un positionnement respectable, fondé sur la confiance, pour toute entreprise voulant se rapprocher de sa clientèle. Cela signifie une totale transparence en matière de prises de position environnementale et politique.

SKIPPIE's: acronyme de *School Kids with Incomes and Purchasing Power* (écoliers ayant des revenus et un pouvoir d'achat). Une tranche de population qui prend de l'ampleur et du pouvoir.

Socio-séisme: l'imminence d'une complète transformation de la vie nord-américaine.

Syndrome d'accélération: l'accélération du rythme de vie jusqu'à atteindre une allure folle.

Heure du consommateur: un concept de temps relié aux tendances, pour dire avec précision si c'est le moment de lancer un produit.

Temps flexible: la structuration flexible des heures de travail en fonction des responsabilités familiales et des besoins spécifiques des employés.

Temps des tendances: la durée de vie d'une tendance qui compte habituellement au moins dix ans.

Tendance en progression: une tendance en progression selon l'optique de BrainReserve; apparition possible d'une nouvelle tendance selon les indices repérés sur le marché.

Déformation du connu: transformation d'une chose familière en quelque chose de nouveau. Concevoir un nouveau produit présentant des bénéfices familiers.

Tournée des tendances: une séance de vérification du marché ou «expédition sur le terrain» ayant lieu dans un endroit avant-gardiste pour stimuler la réflexion au sujet des nouveaux produits et services.

Tri du courrier: une nouvelle manière de magasiner, de régler ses factures, de recevoir et d'envoyer de l'information au moyen de l'ordinateur personnel.

Trousse-tendance: un abonnement bimensuel grâce auquel les clients de BrainReserve reçoivent des échantillons tridimension-nels des tendances de même que des trucs sur la manière de les mettre en pratique dans leur entreprise.

Vérité dans la publicité: nouvelle vague de publicité axée sur le consommateur selon laquelle toutes les allégations sont vérifiées et la vérité présentée de manière objective.

Vision des tendances: la capacité de se fier aux tendances pour s'ouvrir les yeux et voir l'avenir.

WOOFs: acronyme de *Well-Off Older Folks* (aînés bien nantis). Une population en expansion affichant des désirs et des besoins spécifiques en matière de consommation de même qu'un pou-voir d'achat significatif.

L'avenir selon les membres
de Fortune 500 (et autres)

L'apaisement de l'esprit.
«Nous assisterons bientôt à un spectaculaire développement des 'médicaments de repos' — c'est-à-dire les produits anti-stress. Même si nous connaissons l'avenir des semi-conducteurs, nous n'avons pas encore compris comment contrôler la biochimie du cerveau. Mais nous parviendrons à ce contrôle.»
Ian A. Martin, président du conseil et chef de la direction
Grand Metropolitan Food Sector

Le baromètre de l'initiative.
«Les gens parlent de fluctuations du marché. Je suis d'avis que les marchés montent et baissent en fonction de l'initiative et de la créativité des gens occupant la place publique. Notre marché grimpe quand nous prenons des initiatives, inventons et créons. Il baisse quand nous sommes stagnants ou inactifs.»
Robert M. Phillips, président du conseil et chef de la direction
Unilever Personal Products Group USA

La prochaine nouveauté.
«Les marques de commerce traditionnelles existeront encore dans l'avenir. Mais grâce à la technologie informatique, aux modems ou à la messagerie vocale, il sera possible de communiquer avec un bureau central pour tous les besoins domestiques du mois à venir — et on pourra aller chercher la commande à cet endroit, comme on fait aujourd'hui chez le nettoyeur.

Michael K. Lorelli, président
Pepsi-Cola East

Soyez bons, faites le bien.

«Il est merveilleux de mettre en pratique les principes féminins dans l'entreprise — diriger en fonction des sentiments, de l'instinct, de l'intuition et de la passion. Une morale féminine très forte gravite autour du concept de bienveillance et de partage, et je crois encore que les femmes peuvent modifier le marché.»

Anita Roddick, directrice générale
The Body Shop International PLC

Le marketing à l'interne et à l'externe.

«Un nombre croissant d'entreprises de service prennent conscience que leurs propres employés constituent l'un de leurs marchés principaux. Quand les employés perçoivent favorablement leur entreprise et leur propre rôle, ils sont d'autant mieux disposés envers le consommateur.»

Michael W. Gunn, vice-président principal,
Marketing
American Airlines

Optiques d'avenir.

«Les fibres optiques changeront l'aménagement des villes. Les employés pourront être au service de leur entreprise à des kilomètres de distance, réduisant de la sorte la nécessité des gros complexes d'édifices à bureaux.»

Henry E. Kates, président & directeur général
Mutual Benefit Life

Principes impérissables.

«Des tendances apparaîtront et disparaîtront mais la satisfaction des besoins de la clientèle, le souci du personnel, la responsabilité envers la communauté dans laquelle nous vivons et le travail sont des valeurs fondamentales qui ne se démoderont jamais. Elles généreront en outre des profits à long terme pour les actionnaires de n'importe quelle entreprise. Ces principes, énoncés dans le credo centenaire de Johnson & Johnson, seront encore à la mode dans cent ans.»

Brian D. Perkins, directeur de la fabrication
McNeil Consumer Products Company

La force du bien.

«Quels que soient les changements à survenir en matière de distribution et de vente au détail, il sera toujours question de marques de commerce. Les entreprises se développeront encore à partir de marques ayant fait leurs preuves et représentant des valeurs sûres. Pour ce qui est des produits alimentaires et des boissons, la saveur est évidemment ce qui importe le plus mais les grandes marques de demain devront en outre posséder des qualités nutritives reconnues.»

William G. Pietersen, président
Seagram Beverage Group

Il y a les créateurs et les gardiens.

«Ce sont les créateurs qui ont fait la grandeur de l'Amérique du Nord, mais où se trouvent-ils de nos jours? Nous n'avons plus que des gardiens. Mettons-nous à l'œuvre et recommençons à bâtir!»

Leonard A. Lauder
président et chef de la direction
Estée Lauder Companies

Surveillez la nouvelle poste.

«Comme les tarifs postaux grimpent beaucoup plus vite que l'inflation, le service postal américain affrontera certainement une sérieuse compétition. Nous disposons d'un nombre croissant de solutions de rechange aux gros expéditeurs traditionnels.»

Reginald K. Brack, Jr.
Président du conseil, président et chef de la direction
Time Warner Publishing

Un poulet dans chaque serre.

«Nous verrons bientôt des serres apparaître dans les maisons et les appartements de sorte que les gens cultiveront leurs propres légumes et fines herbes, peut-être même élèveront-ils des poulets et des cochons. La serre aura autant d'importance dans une maison que la salle de bain.»

Michel Roux, président
Carillon Importers, Ltd.

Plus rapide qu'une balle de fusil.

«Ce qui m'inquiète, c'est que le cycle temporel réglant les hauts et les bas du marché se rétrécit sans cesse alors que les pics montent plus haut et les vallées descendent plus bas. Il faut travailler plus que par le passé. Il faut garder son sang-froid et ne pas trop réagir. La régularité et l'assurance ont garanti le succès de la génération de mon père. Mais aujourd'hui, c'est l'époque de la réaction.»

I.M. Booth
Président et chef de la direction
Polaroid Corporation

Le défi de la diversité.

«Il y aura plus de diversité parmi nos consommateurs, nos clients et nos collègues de travail. Le défi passionnant, dans les entreprises des années quatre-vingt-dix, sera d'admettre, de valoriser et de répondre efficacement à cette diversité croissante du marché et du travail.

Ellen Marram
Présidente et chef de la direction
Nabisco Biscuit Company

Le nouveau dirigeant.

«La future direction d'entreprise ne ressemblera pas à l'ancienne. Le rôle de la direction consistera à créer une 'vision' d'entreprise et à cultiver l'écoute — écoute des clients et des employés pour ensuite leur donner pleins pouvoirs. L'ancien style de direction fondé sur les ordres et le contrôle ne conviendra pas à un environnement complexe qui change rapidement, qui communique instantanément et dont le succès dépend d'une main-d'œuvre diversifiée. La direction de l'avenir devra poser des objectifs élevés, définir les normes, créer la culture et confier le reste à l'organisation.»

Martin J. Pazzani
Vice-président, Marketing
Heublein, Inc.

A-B-C, Uno, dos, tres.

«Il n'y a pas de solution simple à nos nombreux problèmes mais il y a un principe essentiel: le système scolaire public est à la base d'une société démocratique. Une culture qui n'est pas alphabétisée, surtout de nos jours, est une culture en grave danger. La réorganisation du système scolaire est notre problème le plus important.»

John R. Opel
Président du comité directeur
International Business Machines Corporation

La fin des conversations.

«Les relations personnelles deviendront plus tendues du fait que plus de gens dépendront des ordinateurs dans le monde des affaires. Les échanges personnels se réduiront et les qualités interpersonnelles ne jouiront plus de la même considération que maintenant. L'art de la lecture et de la conversation va se perdre. C'est ce qui arrive à nos jeunes gens d'aujourd'hui. Plus de conversation. C'est une véritable menace à l'intégrité d'une culture.»

Ellen Merlo
Vice-présidente, service de marketing
Philip Morris U.S.A.

Des magasins sans murs.

«Je pense que nous assisterons à une expansion majeure de la vente par correspondance, allant jusqu'à poinçonner d'étranges machines pour commander l'épicerie et toutes les autres choses nécessaires. Nous irons au magasin, non plus parce qu'il le faut mais parce que nous le désirons, pour le plaisir de la socialisation.»

Ronald Ahrens
Président, consommation
Bristol-Myers Squibb

Une nouvelle fusion des affaires et de la politique.

«Tôt ou tard, les gens d'affaires se consacreront davantage à l'amélioration du processus politique. On espère pouvoir briguer le pouvoir en toute sécurité. Les médias cesseront de détruire les réputations et chercheront plutôt à cerner la contribution possible d'un individu.»

Richard Gillman
Président du conseil
Bally's Park Place Casino Hotel

Le refuge de l'histoire.

«Je ne suis pas surpris de toutes ces évocations du passé. Cela fait simplement partie d'une société bien adaptée — on essaie toujours de définir où l'on va à partir d'où l'on vient. Dans une société tournée vers l'avenir comme la nôtre, c'est une façon de projeter l'ancien temps sur le nouveau, pour pouvoir en quelque sorte fondre les deux et créer un univers contrôlé et qui nous est familier. L'histoire, même si c'est l'histoire des années cinquante, est sécurisante.»

C. Duncan Rice
Doyen, Faculté des arts et sciences
New York University

L'entreprise éducatrice.

«Je ne pense pas qu'il revienne principalement à l'entreprise d'éduquer mais toute entreprise placée en face du choix prendra inévitablement cette responsabilité. En l'absence de toute autre solution, les entreprises prendront les rênes de l'éducation.»

Phillip J. Riese
Vice-président à la direction et directeur général
Division des cartes personnelles
American Express Company

L'avenir est en route.

«Nous travaillons à mettre au point des bouteilles biodégradables. Ce n'est pas là un programme imminent car les consommateurs devront d'abord accepter d'importants changements de comportement. Il s'agit de savoir si l'avenir est pour vous à cinq, dix ou vingt ans d'ici. Nous verrons du plastique mieux conçu, de meilleure qualité et plus flexible, de même que d'autres types d'emballage ou d'innovations chimiques qu'on ne voit tout simplement pas aujourd'hui.»

Brian McFarland, président
Division des soins personnels
The Gillette Company

L'entreprise régénérée.

«Les entreprises seront régénérées. Elles éclateront et les gens commenceront à implanter de petites entreprises qui rivaliseront à leur tour avec les conglomérats, pour devenir ensuite les nouveaux conglomérats. Ce sera là le cycle.»

Herbert M. Baum, président
Campbell North America
Campbell Soup Company

Le temps emprunté.

«Comment peut-on être la plus grande puissance mondiale quand on est le plus grand emprunteur du monde? Ce sont les prêteurs qui ont le plus de pouvoir.»

Peter G. Peterson Président du conseil
The Blackstone Group

Où est Harold?

«Quelque chose se produit que j'appelle la 'perte de l'expérience accumulée'. Les entreprises américaines sont actuellement très occupées à se débarrasser des employés ayant vingt ou trente ans de service. Qu'arrive-t-il lorsqu'on cesse de réorganiser le personnel et que l'on retourne aux affaires? Le dialogue ressemble à ceci: 'Comment se fait-il que nous ayons fait cela?' 'Je ne sais pas; c'était toujours Harrold qui s'occupait de cela quand il était contrôleur de l'inventaire.' 'Dans ce cas, où diable est passé Harold?' 'C'est l'un de ceux que nous avons laissé partir en vertu du programme de retraite anticipée.' Ces choses prennent de l'importance et affectent le dynamisme d'une entreprise. L'expérience qui se perd présentement finira par affaiblir nos entreprises.»

Peter N. Rogers
Président et chef de la direction
E.J. Brach Corp.

Le coût élevé du travail.

«Les femmes réalisent actuellement qu'il est difficile d'être une superfemme. Cela n'est pas si avantageux de doubler le revenu familial s'il faut tourner le dos à la famille et au foyer.»

Martha Stewart
Martha Stewart, Inc.

Le magasinage en tant que distraction.

«Ce sera de plus en plus pour s'amuser que l'on ira dans un immense magasin à rabais ou dans un centre commercial. Ce ne sera plus seulement pour acheter ce qu'il nous faut.»

Peter M. Palermo
Vice-président et directeur général
Division de l'impression, services aux consommateurs
Eastman Kodak Company

Faites ce qu'il faut.

«La morale d'entreprise est-elle une contradiction? Quel est au juste le rôle de l'entreprise aujourd'hui? De manière très réelle, nous sommes dans une merveilleuse période de transition. Dans les années cinquante, nous avons eu Auden et *The Age of Anxiety*, Eliot et *The Hollow Men*, en plus des existentialistes. Nous combattons maintenant ce sentiment d'impuissance. Il y a un nouvel appel moral dans l'air. Nous ne savons probablement pas encore comment y répondre, mais nous voulons acheter le bon produit avec le bon emballage et fabriqué par la bonne entreprise.»

Sam Keen, auteur

Prospérité dans l'infrastructure.

«Une prospérité tangible se voit partout en Europe, même dans les pays où l'économie est faible. Les gens y jouissent en fait, à bien des égards, d'un niveau de vie supérieur au nôtre. Même en Angleterre, qui a connu sa part de périodes noires, la prospérité est manifeste. Les Anglais ont investi beaucoup d'argent pour de belles routes, des trottoirs balayés, des parcs propres et bien entretenus. De notre côté, nous avons ignoré l'infrastructure, là où se trouve la *qualité* de la vie.»

Sandra Myer
membre du comité directeur
services aux entreprises
Citibank, N.A.

Montrez-nous votre visage.

«Le marketing anonyme ne fonctionne tout simplement plus. Les consommateurs ne veulent plus seulement savoir ce qu'ils achètent mais aussi de *qui* ils achètent. Ils veulent connaître les *gens,* pas le *logo.* L'établissement des relations avec les consommateurs est aussi important que la mise au point de produits.»

Frank P. Perdue
Président du conseil
Perdue Farms Inc.

L'insécurité au travail.

«La chose la plus importante à s'être produite au cours de la décennie passée est que plus personne ne se sent en sécurité. On ne peut couper 40 pour cent du personnel et faire croire aux 60 pour cent qui restent qu'ils ont un travail à vie. Je crois que les Japonais seront les prochains à le ressentir. Dès que cette économie surdéveloppée commencera à laisser partir des gens, le concept dont se vante le Japon — l'emploi à vie, la fidélité à l'entreprise — éclatera totalement.»

Jay Chiat
Président directeur général au niveau international
Chiat/Day/Mojo/Inc. Advertising

Le prix élevé de la tricherie.

«Les entreprises s'aperçoivent que l'immoralité peut coûter très cher. Nous connaissons un nombre record de poursuites judiciaires… des règlements record dans lesquels les entreprises ont arrondi les angles.»

Mary Cunningham Agee
Directrice générale
The Nurturing Network

Nostalgie du passé.

La nostalgie, ce profond regret du passé, affecte maintenant les gens à un âge beaucoup plus précoce qu'auparavant. Seuls les gens ayant atteint un certain degré de maturité se tournaient d'habitude vers le passé, le bon vieux temps. De nos jours, des gens d'à peine quarante ans sont de plus en plus nostalgiques d'un passé récent. Les autres générations se préoccupaient à cet âge davantage de questions d'avenir.»

Adam Hanft
Président et directeur artistique
Slater Hanft Martin, Inc.

Les petites gâteries peuvent rapporter gros.

«Il y a dix ou quinze ans, quand j'ai commencé à aller fréquemment en Europe, je suis tombé par hasard sur ces magnifiques plumes laquées Dupont. À l'époque, une bonne plume commerciale se vendait douze ou quinze dollars — et le prix de celles-là était l'équivalent de cent vingt-cinq dollars. Je compris pour la première fois jusqu'où les gens étaient prêts à aller pour se procurer quelque chose de spécial. Pour seulement cent dollars, on pouvait obtenir une excellente marchandise — ce que j'appelle un 'accessoire abordable'. Ce désir ne fera que s'accentuer dans l'avenir.»

Leslie H. Wexner
Président du conseil et chef de la direction
The Limited, Inc.

Des gens fiers de leur cynisme.

«Après cinq ans passés aux États-Unis, j'ai changé d'idée au sujet des marchés d'avenir. L'atout formidable de ce pays, ce sont ses habitants. Les Américains ont, en général, une attitude constructive au sujet de l'avenir, qui est très différente de celle des Européens, beaucoup plus cyniques en raison de leur histoire. Sans compter qu'ils sont fiers d'être cyniques.»

Patrick Choel
Président du conseil
Elida Gibbs-Fabergé
Paris, France

La persuasion en douceur.

«Le nouvel ingrédient magique était, jusqu'à présent, à l'intérieur du *produit*. Il sera désormais à l'extérieur, dans l'emballage. Les produits 'protégeant l'environnement' auront la primauté sur ceux dits 'naturels', l'étiquette à la mode au cours de la dernière décennie. On verra en outre une renaissance du marché des arômes — de nouveaux types de purificateurs d'air, des lotions aux parfums apaisants ou relaxants.»

Cornelius J. Goeren, directeur
Création des nouveaux produits
The Mennen Company

La force du côté de l'esprit inventif.

«C'est en 'voyant grand' que les Américains prendront la tête du marché et pourront distancer la compétition étrangère. Les entreprises et les individus devront s'entendre sur les priorités de notre société pour ensuite leur donner corps. Il se peut en fait qu'une économie internationale soit sur le point d'apparaître et les Américains devront lutter pour leur part du dollar international. Notre esprit inventif et notre prévoyance seront sollicités comme jamais auparavant.»

Sander A. Flaum
Président et chef de la direction
Robert A. Becker, Inc.

Ranimer l'esprit.

«Ce n'est pas que nous, les Américains, devenions plus paresseux, c'est plutôt que nous sommes plus abattus. Nous n'avons plus l'impression d'avoir devant nous des possibilités extraordinaires — le sentiment que tout est possible. Lors de mes débuts en affaires, je croyais que notre pays pouvait gagner tous les paris, franchir toutes les frontières. Je ne crois pas que mes enfants soient de cet avis. Il nous faut retrouver cet esprit.»

Carole Isenberg
Big Light Films

Ralentir et se monnayer un départ.

«Le monde des affaires constitue un environnement stagnant, superficiel, insatisfaisant, malhonnête et atroce. Pourquoi désirerait-on s'y intégrer? La personne intelligente prend le temps de réévaluer tous les choix, se dit qu'elle n'a pas besoin de cela et quitte. Nous verrons les entreprises passer de la fabrication aux services. Entrepreneurs: votre temps est venu.»

Marquis Visich de Visoko
Knight-Grand Cross

Foi dans l'avenir.

«La seule chose dont je suis certain à propos de l'avenir est que je vais vivre éternellement.»

Arthur T. Shorin
Chef de la direction
The Topps Company, Inc.

Plus ça change...

«Je ne pense pas que le monde change beaucoup. Il n'y a pas de raison de croire que la morale d'aujourd'hui soit meilleure ou pire que celle d'il y a trente, cinquante ou cent ans. Il y a flux et reflux. La bonne nouvelle, c'est que pour une personne vendant son âme à une entreprise, il y en a dix autres qui partent en affaires ou qui travaillent dans un environnement dont elles sont partiellement propriétaires. *The Organization Man* et *Mort d'un commis voyageur* sont des livres dépassés. Je ne sais pas si l'Amérique des affaires est plus hostile qu'elle ne l'a jamais été.»

Dick West, doyen
Leonard N. Stern School of Business
New York University

La loi naturelle est celle qui prime.

«Il nous faut tous nous y soumettre sinon nous mourrons. La route vers l'avenir est très courte. L'être humain a défié le temps. Il dit: 'Regarde ma technologie. J'ai une tronçonneuse et je peux abattre ce noyer en quinze minutes.' Pour faire repousser cet arbre, il faudra cent cinquante ans.

L'environnement sera encore le problème des années quatre-vingt-dix. Ce sera la raison de migrations humaines, de nourriture douteuse — tout est interrelié. Nous n'aurons pas de guerres entre communistes et capitalistes — ce seront des guerres pour le territoire et les ressources naturelles.»

Oren Lyons
Chef iroquois

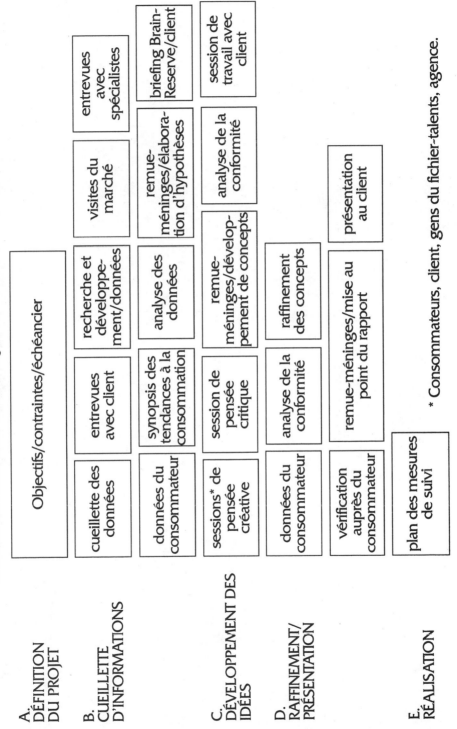

TABLEAU MÉTHODOLOGIQUE DE BRAINRESERVE

A.
DÉFINITION
DU PROJET

Objectifs/contraintes/échéancier

B.
CUEILLETTE
D'INFORMATIONS

cueillette des données | entrevues avec client | recherche et développement/données | visites du marché | entrevues avec spécialistes

données du consommateur | synopsis des tendances à la consommation | analyse des données | remue-méninges/élaboration d'hypothèses | briefing Brain-Reserve/client

C.
DÉVELOPPEMENT DES IDÉES

sessions* de pensée créative | session de pensée critique | remue-méninges/développement de concepts | analyse de la conformité | session de travail avec client

D.
RAFFINEMENT/
PRÉSENTATION

données du consommateur | analyse de la conformité | raffinement des concepts | présentation au client

vérification auprès du consommateur | remue-méninges/mise au point du rapport

E.
RÉALISATION

plan des mesures de suivi

* Consommateurs, client, gens du fichier-talents, agence.

Liste des clients de BrainReserve

Merci à tous les clients qui ont contribué à la mise sur pied de BrainReserve.

*American Express Inc.
Services financiers

*American Telephone & Telegraph
Télécommunications

*Anheuser-Busch, Inc.
Produits de la bière

Avon Products, Inc.
Cosmétiques

*Bacardi Imports, Inc.
Alcools distillés

Bally's Park Place Casino Hotel
Voyages & loisirs

*Beatrice/Hunt-Wesson
Produits alimentaires

The Black & Decker Corporation
Appareils ÉLECTRO-ménagers

*Borden, Inc.
Boissons

---

* Quand un client revient, c'est signe qu'il est satisfait. L'astérique indique une entreprise avec laquelle nous avons travaillé plusieurs fois ou une entreprise abonnée à TrendPack.

*Bristol-Myers Company
Vitamines
Produits contre la grippe et la toux

*Campbell Soup Company
Produits alimentaires

*Carillon Importers Ltd.
Alcools distillés

*Chesebrough-Pond's Inc.
Désodorisants, savons, shampooings, produits pour la peau

*Citibank, N.A.
Services financiers

*The Clorox Company
Produits alimentaires
Produits de beauté et de santé
Produits d'entretien ménager

Coca-Cola USA
Boissons gazeuses

*Colgate-Palmolive Company
Produits d'hygiène buccale
Produits pour les soins de la peau
Produits capillaires
Liquides pour lave-vaisselle

*Continental Baking Company
Pains et pâtisseries

*Eastman Kodak Company
L'avenir de la photographie

Estée Lauder
Eaux de Cologne et autres produits pour hommes

Fisher-Price
Jouets et articles pour enfants

*General Foods Corporation
Café et produits alimentaires

*The Gillette Company (Division des articles de bureau)
Papier à lettres et articles de bureau
Shampooings

The Hearst Corporation
Édition

*Hoffmann-La Roche, Inc.
Produits pharmaceutiques

*International Business Machines Corp.
Ordinateurs personnels

*Johnson & Johnson Products, Inc.
Analgésiques

*Kimberly-Clark Corporation
Produits de beauté et de santé
Produits de soins de santé à domicile
Produits industriels

Kobrand Corporation
Alcools distillés

Lever Brothers Company
Produits d'entretien ménager
Produits de beauté et de santé
Parfums

MasterCard International
Services financiers

MCI Telecommunications Corporation
Télécommunications

*McNeil Consumer Products Company
Analgésiques

Mutual Benefit Life
Assurance-vie

*Nabisco Brands USA
Produits alimentaires

Nestlé Foods Corporation
Aliments diététiques

New York Life Insurance Company
Assurance-vie

*Nissan Research and Development
Automobiles

Magazine *People*
Édition

*Pepsi-Cola Company
Boissons gazeuses

*Pfizer Inc.
Produits capillaires
Parfums

*Philip Morris International
Produits non reliés au tabac

*The Pillsbury Company
Produits alimentaires
Restaurants

*Polaroid Corporation
Photographie

*The Procter & Gamble Company
Produits alimentaires

Laundry Detergents
Produits de soins personnels

The Quaker Oats Company
Nourriture pour animaux domestiques
Pains

*Ralston Purina Company
Nourriture pour animaux domestiques
Pains

*Richardson-Vicks Inc.
Produits pour les soins de la peau
Produits capillaires

Rubbermaid, Inc.
Produits d'entretien ménager

Schenley Industries
Boissons alcoolisées

*Schering Laboratories
Produits pharmaceutiques

*Joseph E. Seagram & Sons
Alcools distillés

The Sheraton Corporation
Approvisionnement de boissons et nourriture

Simon & Schuster
Édition (livres)

The Southland Corporation
Dépanneurs

The Stanley Works
Quincaillerie

Teledyne Water Pik
Appareils électroménagers

Texas Instruments Incorporated
Appareils électroniques

Timex Corporation
Montres

Tupperware Home Parties
Articles de ménage

UST Enterprises
Produits non reliés au tabac

*The West Bend Company
Appareils électroménagers

Liste des lectures de BrainReserve

Voici une sélection de nos lectures (habituellement trois personnes, trois heures par jour) et que nous incorporons dans notre fichier-tendances. Nous cherchons ainsi des confirmations des tendances de même que des contradictions et des aspects inattendus.

Intérêt général/information
Time
Newsweek
People
New York
Modern Maturity
Essence
Emerge
California Magazine
Vanidades
Women
Vogue
Elle
Sassy
Mirabella
Lear's
Good Housekeeping
Working Mother
New York Woman
Harper's Bazaar
Mademoiselle
Victoria
Ladies' Home Journal
Allure
W
BBW (Big Beautiful Women)

Revues pour hommes
Esquire
Gentlemen's Quarterly
Men's Health
M, inc.
Details

Actualités
The New York Times
The Wall Street Journal
USA Today
The Washington Post
Newsday
U.S. News & World Report
Le Monde

Science
Discover
Technology Review
The Futurist
Omni
Science Digest

Santé
American Health
Longevity
Self
In Health
Health Watch
Vegetarian Journal
Changes

Alimentation/boissons
Bon Appétit
Gourmet
Food & Wine
Eating Well
Vegetarian Times

Décoration intérieure
Metropolitan Home
HG
Architectural Digest

Voyage/international
Conde Nast Traveler
European Travel & Life
Travel & Leisure
Soviet Life
Tokyo Journal
Harper's & Queen
Marie Claire
Arena
Elegance (Pays-Bas)

Divertissements/potins
Interview
National Enquirer
L.A. Style
Vanity Fair
Entertainment Weekly
Premiere
TV Guide
Billboard
Variety
Rolling Stone

Littérature/arts
The New Yorker
Granta
*The Quarterly: New American
  Writing*
Journal of Popular Culture
Publishers Weekly
The Atlantic
Harper's
Art & Antiques
Grand Street

Affaires
Fortune
Forbes
Business Week
Entrepreneur
Inc.
Business Ethics

Économie
The Economist
Japan Economic Journal

Politique
The Nation
New Republic
The Manchester Guardian
The Washington Spectator
Politique Internationale
Reason
Z
Mother Jones

Environnement
Garbage
Greenpeace
Earthwatch
Buzzworm
E: The Environmental Magazine
The Earthwise Consumer
The Amicus Journal
EcoSource

Bulletins et Publications commerciales
John Naisbitt's Trend Letter
Mayo Clinic Health Letter
Tufts Nutrition Letter
Berkeley Wellness Letter
Research Alert
Consumer Confidence Survey
The Art of Eating

Britchkey Restaurant Letter
New Product News
Food Industry Newsletter
Food Marketing Briefs
Food & Beverage Marketing
Market Watch: The Wines, Spirits & Beer Business
Top Shelf: Barkeeping At Its Best
Chain Drug Review
National Home Center News
Supermarket News
Consumer Reports
National Boycott News
Advertising Age
Adweek's Marketing Week

Nouvel âge

New Age
Whole Earth Review
East West
Yoga Journal
Design Spirit
New Realities

Excentricités

Utne Reader
Libido: The Journal of Sex and Sensibility
Monk: Public Diary of the Pilgrim's Journey
Paper
Outweek

TABLE DES MATIÈRES

The Beauty of Japan 〔*Summary of the text*〕

・この別冊は、英文版本文の要旨を、日本語でまとめたものです。
　本文を読むさいの補助テキストとしてお使い下さい。
・写は本文中にカラー写真があることをしめしています。
・また、*下線付きの用語は、英文による解説がついています。

[第1部] えがかれた自然美

In Search of an Eternal Beauty

●自然をえがいた大画面の絵 (p.14〜15)

大画面に絵をかくことは16世紀ごろに流行した。織田信長・豊臣秀吉・徳川家康らの支配者は、壮大な規模の屋敷や城をつくったが、その内部をかざるために、力強い大画面の作品が求められたのである。この伝統は町人文化にもうけつがれている。

写紅白梅図　尾形光琳筆。金地を背景として、紅白の梅と*銀箔の川がえがかれている。紅と白の色の対比、枝の鋭い直線と川のなめらかな曲線など、対比的な要素が一つの大画面にまとめられている。

*Silver leaf: Silver hammered out into paper-thin sheets.

写楓図　長谷川等伯筆。巨大な楓の木が身をよじらせるようにはえ、力強い枝と、あざやかな色調の草花が、みずみずしい画面をつくり出している。

●えがかれた自然を楽しむ行事 (p.16〜17)

日本人は野山の草木や花を見ることが好きで、春の桜の花見や秋の紅葉見物は、現在でも伝統行事としていきている。

写風俗図屏風　花見を楽しむ貴族と武士の場面。作物が豊作か不作かを占う農耕儀礼の一つだった花見は、10世紀ごろから貴族の遊びに

とり入れられた。桜は短期間に満開となるが数日でパッとちる。貴族はそこに人生のはかなさを感じたが、武士はそこに男らしいいさぎよさを感じたようだ。

写高雄観楓図　女性たちが紅葉を見ながら酒宴をしている場面。のびやかで、たくましい庶民の姿がうかがえる。

写現代の人々の花見風景
〈参考〉サクラのサは穀物の霊、クラは神座の意味。田仕事をはじめる時期にさく花を、穀物の神霊が宿るところ、すなわちサクラとよんだ。

●浮世絵にえがかれた富士山 (p.18〜19)

富士山は日本一高い山（標高3776m）で、信仰の対象ともされてきた。ここでは19世紀にさかんとなった風景画浮世絵にえがかれた富士山をとりあげる。

写神奈川沖浪裏・凱風快晴　葛飾北斎の富岳三十六景からの作品。前者は波の裏側を奇抜な構図でえがき、後者は単調な色調の中に富士山の大きさそのものだけを表現している。

写歌川広重の東海道五十三次シリーズから、「箱根」「原」「由井」の場面　抑制のきいた静かな作風は、親しみを感じさせてくれる。

写現在の霊峰一富士山
〈参考〉自然中心の風景画浮世絵は、西欧の人間中心の自然観にも影響をあたえた。とくに*印象派画家には衝撃的な影響をあたえ、ジャポニスム（日本主義）とよばれる一時期を生み出した。

1

* Impressionists: Artists from the second half of the nineteenth century, such as Monet, Manet, van Gogh, and Renoir.

● 水墨画でえがかれたパノラマ風景画（p. 20〜21）

　水墨画は、黒い墨のみでえがいた東洋独特の絵画である。色彩本位の絵画にくらべて、その奥にある本質的なもの、精神的なものを表現しようとするところに特色がある。これは、当時さかんにつくられた石庭*とともに、禅の精神と共通するものがある。

* Stone garden (*sekitei*): A garden composed of stones and sand. Famous examples are to be found at the temples of Ryoanji and Daitokuji (especially the sub-temple Daisen'in) in Kyoto. The white sand represents the sea, and the rocks represent islands.

写 天橋立図　水墨画の最高峰とされる雪舟が16世紀初めごろえがいた作品。筆致は自由奔放でありながら、正確な写実に徹している。

写 現在の天橋立

● 衣裳にえがかれた草花（p.22〜23）

　着物は華麗さ、繊細さ、染色技術の高さにおいて、世界にほこる見事さをもっている。この着物につかわれる意匠や文様は、ほとんど自然の草花である。日本人は自然の意匠につつまれて、やすらぎを感じるのである。

写 白地秋草模様描絵小袖　尾形光琳画。日本の秋の風情を詩情ゆたかにかいている。小袖とは14〜15世紀から広く着用された袖丈の短い着物で、現在の着物のもととなっている。

写 三笠山に鹿文様打掛　打掛とは帯をしめた和服の上にコートのようにきるもの。形は小袖と同じである。

写 流水に桜・藤・山吹・鴛鴦文様打掛

写 白地流水松藤模様友禅小袖

写 鴇色地桜模様小袖　鴇色とは深紅色のこと。

● 工芸品にえがかれた草花（p.24〜26）

　四季の変化に応じて生活してきた日本人は、工芸品にも自然の草花を文様化してえがいた。なお、尾形光琳・乾山の兄弟は17世紀から18世紀にかけて活躍した画家・工芸家で、斬新な意匠で美術史上一つの時代をきずいた。

写 べっ甲製蒔絵櫛　日本髪にさした飾りの櫛。

写 八橋蒔絵硯箱　尾形光琳画。『伊勢物語』から題材をとってデザインしたもの。橋とかきつばたの図が、黒漆の地にマッチしている。

写 草花密陀絵食籠　密陀絵とは一種の油絵的な技法で、江戸時代によく使われた。

写 銹絵染付金彩絵替土器皿　尾形乾山作。独特の野趣のある絵付けが特色である。

写 色絵吉野山図茶壺　野々村仁清作。仁清は17世紀後半に活躍した陶芸家で、さまざまな色を出す「色絵」の方法を大成させた。

写 八橋図団扇　尾形光琳画。八橋蒔絵硯箱と同じ題材をえがいたもの。かきつばたの花より、木の橋を強調しているのが印象的である。

[第2部] **日本の風土美**

Exploring Japan's Cultural and Scenic Treasures

● 北海道地方（p.28〜31）

　北海道は日本の最北端にある島で、雄大なスケールの自然がのこっている。日本人にとっては、はてしない夢やロマンを感じさせてくれるところでもある。

Pictorial Encyclopedia of Modern JAPAN
目で見る現代の日本

Here is Japan at a glance: a complete illustrated reference to all aspects of its social and economic life. Profusely illustrated with photographs, drawings, maps, charts and diagrams—in full color on every page—this is an information-crammed, in-depth portrait of contemporary Japan in one volume.

Revised edition

ハイテク産業から日常生活まで紹介。
ホームステイや研修に必備の一冊。
改訂新版

Hardbound / 136 pages mostly in full color
257 × 182 mm / Price in Japan: ¥2,880

JAPAN AS IT IS
(Bilingual) 日本タテヨコ

This book has attempted to meet the increasing global appetite for information on Japan. The text contains a wealth of information about Japan divided into digestible segments. It is an ideal introduction for people wanting a broad survey of Japan.

Revised edition

和英対訳の
日本紹介小型百科
改訂新版

Softbound / 188 × 130 mm
368 pages
Price in Japan: ¥1,500

Japanese Cooking for Health and Fitness
美容と健康のための日本料理　小西清子 著

Today everybody's discovering the virtues of Japanese cooking: its visual appeal, its distinctive and entrancing flavors and especially its health benefits. Each easy-to-follow recipe is accompanied by a large, superb color photograph.

やさしい日本料理のレシピ集

Hardbound / 257 × 182 mm / 120 pages
Price in Japan: ¥2,880

SUSHI
すし　吉野曻雄 著

Sushi is rice which is flavored with a vinegar mixture, and to it fish, shellfish, and so forth are variously added. This book deals with everything about Sushi, how to eat and to prepare it; its history and much more. A foldout poster of Sushi is included.

目で楽しむ魅力がいっぱい

新装版（すしポスター付）

Hardbound / 96 pages / 257 × 182 mm
Price in Japan: ¥2,575

For more information and details, please contact
Gakken Co., Ltd., International Division
4-28-5, Nishi-gotanda, Shinagawa-ku; Tokyo 141 Japan
Phone: 03-493-3351/Fax: 03-493-3338
Telex: GAKKENSB J 27771/Cable: GAKKENCOL TOKYO

貴店印

Satisfy your curiosity about... JAPAN
日本の文化を世界に伝える 学研の英文書

Gakken 学研

The BEAUTY of JAPAN

A Pictorial Journey to Japan's Cultural Treasures   Foreword: EDWARD SEIDENSTICKER

日本の美　中山兼芳　監修
序文　エドワード・サイデンステッカー

The Japanese have produced in its long history many beautiful cultural treasures. The unique sense of beauty has been fostered through the various stages of the history. What lies beneath it is oneness with nature as well as the rigor/simplicity of Zen Buddhism.

The beautiful things in Japan are sometimes restrained and sometimes exuberant and almost baroque. When the two predilections lead to success, it leads to supreme beauty.

Here this volume represents an exciting and sensitive look at Japanese historical and cultural heritages. The rich legacy is vividly portrayed through the superb photos. Also the book takes you on a journey to some of the most fascinating scenes of the country and portrays the natural beauty.

The last chapter of the book focuses on the subtle sense of beauty in the Japanese daily life seen in such things as Japanese-style houses, Japanese inns, kimonos, etc.

日本の心と美の根源を探る旅へ
読者を誘う。
日本の風景美と伝統的美意識に彩られ
た文化遺産を豪華なカラー写真で紹介。

Hardbound/96 pages (84 in color)
302 × 228 mm/Price in Japan: ¥3,200

Pictorial Encyclopedia of JAPANESE CULTURE
目で見る日本の文化　　中山兼芳　監修

The Soul and Heritage of Japan

With its 500 photographs and illustrations, most of them in color, this is an excellent visual guide to the culture and history of Japan. It is an easy-to-use reference to Japanese Shinto shrines and temples, Kabuki and Noh theaters, traditions and festivals, architecture and art. Entries convey the spirit and fabric of Japanese society and the Japanese people in understandable terms and highly informative pictures.

伝統文化から生活習慣まで
豊富なカラー写真と図解で紹介。
外国人への贈り物に最適。
Hardbound
130 pages mostly in full color
257 × 182 mm
Price in Japan: ¥2,880

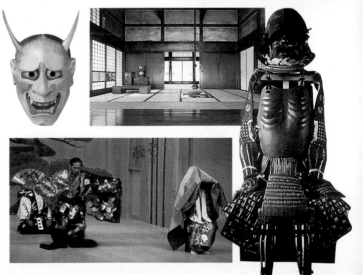

・鶴（p.28〜29）

写 **釧路湿原のツル** ツルは姿が上品なところから高貴な鳥として親しまれ、また、長生きのシンボルの動物としてうやまわれている。

・**伝説を秘めた奇岩**（p.30〜31）

写 **神威岩** すでに船で沖に出てしまった恋人の源義経に、うらみをのこして海に身を投げた女性が、岩になったという伝説がある。

●**東北地方**（p.32〜37）

東北地方は、本州ではもっとも北にある。かつて"みちのく"（道の奥）とよばれたように、自然は荒々しげに見え、それが自然を愛する人たちを引きつけている。

・**みちのくの寺**（p.32〜33）

写 **羽黒山の五重塔** 杉木立の中に、14世紀につくられた五重塔（国宝）がたつ。五重塔はシャカの骨を入れておくための塔で、日本独特の形をしている。

写 **中尊寺金色堂** 今から800年ほど前、平泉には、京都におとらないほどの華麗な文化が栄えていた。その栄華と繁栄のあとを今にのこすのが、中尊寺の金色堂（国宝）で、内部は黄金の仏像と装飾でかがやいている。

・**雪の美を楽しむ文化**（p.34〜35）

写 **雪の最上川** 最上川は鉄道がしかれる以前は舟運が発達していた。俳人松尾芭蕉は梅雨期にここを渡り、「五月雨を集めて早し最上川」の句をよんでいる。現在では、雪景色を楽しむイベント船もでている。

写 **雪の銀山温泉** 銀山温泉は、17世紀のはじめ、銀山の労働者たちが、川の中でわく温泉を発見したのに始まる。温泉で体をあたため、雪が汚れをおおいかくした風景を見ていると、精神まで洗われてくる。

・**土俗的な祭り**（p.36〜37）

写 **なまはげ** 鬼の面をかぶった人が小さな子供の「なまけもの」をこらしめる祭り。もとは新年の到来をつげる神であったという。

写 **かまくら** 雪でかためてつくったほら穴で子供達がモチを焼いたり、甘酒を飲んで遊ぶ。内には水の神様をまつっている。

写 **チャグチャグ馬コ** 農作業ではたらきづめの馬を一日ゆっくり休ませ、馬の神様におまいりする祭り。

写 **竿灯** 灯をともした何十という提灯を竹竿にぶらさげ、肩やあごにのせるなど曲芸的な動きをみせる。悪霊を追い払う祭り。

写 **ねぶた** 竹をしんにして、木や針金を組立て、上に和紙をはった武者人形を引き回す。そのまわりでリズムにのって踊るさまは迫力がある。悪霊を追い払う祭り。

●**関東地方**（p.38〜47）

首都東京がある関東地方には、人口の約3分の1が集まり、政治・経済・文化の中心地域となっている。歴史的に見ると、関東地方は武家勢力の根拠地ということができる。

回 **日光** 回（p.38〜39）

日光は関東地方の北部にあり、日本有数の国際文化都市である。＊山岳信仰の霊場としての歴史をもち、宗教的な建造物が多い。

＊ The mountain cult (*sangaku shin-ko*): In this cult, mountains have been given vast religious significance. They are objects of worship and centers of ritual. In many cases, the mountain itself is considered a *kami* (divinity).

・**華麗なる神社**（p.38〜39）

写 **日光東照宮陽明門** 東照宮は徳川家康の霊をまつる神社であり、その陽明門は、金箔と極彩色の彫刻でかざられている。日本的な美の正統は上品で静かなものと考えられて

3

いるが、陽明門の美は力強く華麗である。

⊡東京⊡ (p.40〜45)

東京は日本の首都で、人口は1000万人をこえ、世界的な経済・文化・情報の中心地でもある。17世紀はじめ徳川家康が、江戸とよばれていたこの地で将軍となっていらい、日本の中心地となった。京都にくらべれば歴史は浅いが、300年の歴史をもつ都市である。

・皇居 (p.40〜41)

写**二重橋** 皇居のシンボルとなっている。濠が深いので、水中に橋をかけ、さらにその上に橋をのせたので、二重橋とよばれている。

写**伏見櫓** 皇居はかつての江戸城のあとにたち、伏見櫓も江戸城の建物であった。

写**桜の花のさいた皇居の濠端**

・東京の古い町 (p.42〜43)

写**浅草の三社祭** 庶民的な町の浅草にある浅草寺は、一年中お参りする人でにぎわい、5月には三社祭が行われる。三社とは寺の創建にかかわった三人の尊い方を意味する。この日、みこしが町をねり歩き、東京が江戸とよばれていたころの伝統をつたえている。

写**浅草の雷門** 浅草寺の入口にある門で、＊風神、雷神の彫刻がある。大きな提灯が、むかしの雰囲気をつたえている。

＊Fujin: The god of the winds is generally depicted as being naked, carrying a bag containing the winds across his shoulders, and striding across the heavens.
＊Raijin: The thunder deity usually is shown as a demon, with a circle of small drums on his back and a drumstick in his hand.

写**酉の市** 11月の酉の日に鷲神社で行われる祭り。米の取り入れを終えた農民の感謝の祭りとしてはじまり、やがて商売繁盛をいのる祭りとなった。この日は、福の富をかき集める〝熊手〟が売られる。

・古典演劇の殿堂 (p.44〜45)

歌舞伎・文楽・能は日本の三大古典芸能といわれ、東京にはこの三つの芸能用の劇場もつくられている。

写**歌舞伎座の外観** 民間経営の歌舞伎専門劇場。外観は16世紀後半の建築様式をしめす。

写**〝御摂勧進帳〟の公演** 歌舞伎とは、もともと〝普通とはかわっていること〟を意味しており、奇想天外な筋立てのものも多い。写真中央の人物の顔は〝隈取り〟とよばれる化粧をしており、英難をしめす。また、女優を使わず、男性が女性を演ずる（女形という）ので、非日常的な魅力を感じさせる。

写**国立能楽堂の能舞台** 舞台の背景には松の木がえがかれている。どんなテーマの能のときでも、この背景はかわらない。演者は向かって左手から登場する。

写**能〝羽衣〟の公演** 演者は仮面をかぶり、そのしぐさもリアルではない。観衆は想像力を働かさなければ能を楽しむことができないが、これがかえって新鮮な魅力をつくり出す。

写**文楽〝曽根崎心中〟の公演** 愛しあっている男女が死を決意して、橋の途中で悲しみにふける場面。愛しあっている男女が一緒に死ぬことを心中といい、脚本家近松門左衛門はこのような物語の傑作を多く残した。

文楽は、人形の頭と右手をあやつる〝主づかい〟、左手だけを扱う〝左手づかい〟、足だけを使う〝足づかい〟の3人が協力して、一つの人形を動かす。人形は人形づかいによって生命を吹き込まれ、美しい動作やこまやかな感情を表現する。

□鎌倉□ (p.46〜47)

　鎌倉は、京都・奈良とともに日本を代表する国際的な観光文化都市である。現在は静かな高級住宅地となっているが、700年の歴史を持つ寺も多く、若い女性の人気をあつめている。

・野外にすわる大仏 (p.46〜47)

写鎌倉大仏　13世紀後半ごろにつくられたもので、大仏をおおっていた建物は台風や津波でこわされ、野外にさらされている。

写鶴岡八幡宮の"やぶさめ"　"やぶさめ"は走る馬上から矢を放ち、的にあてる競技。12〜14世紀ごろに、武士の武芸として流行した。

写アジサイのさく明月院　数千本ものアジサイがうえられ、花のさく初夏は、観光客の長い列がつらなる。

●中部地方 (p.48〜51)

　本州の中央部に位置する中部地方は、冬に雪の多い日本海側の北陸地方、気候の温暖な太平洋側の東海地方、3000m級の山がつらなる中央高地にわけられる。変化にとんだ風土が楽しめ、一年中観光客でにぎわう。

・永平寺と兼六園 (p.48〜49)

写永平寺の＊勅使門　禅の修行を行う寺の一つで、道元が中国から曹洞宗を学んで帰っていらいの伝統をもつ。一般の宿泊者も早朝の禅の行事に参加し、仏教の戒律をまもることがもとめられる。

＊ *Chokushimon*: The temple gate reserved for the imperial messenger.

写秋と冬の兼六園　兼六園は、北陸地方の中心的な城下町金沢市にある庭園。日本の名園の中でも、もっとも美しいものの一つで、池の中におかれた石灯籠は印象的である。

・保存された山国の伝統 (p.50〜51)

写妻籠にのこる脇本陣あと　妻籠は中山道ぞいの宿場町だったところで、現在、当時の町並みが復元されている。宿場町には町人がとまる宿のほか、大名がとまる本陣・脇本陣があり、写真の脇本陣あとは郷土資料館として公開されている。

写道端にたたずむ道祖神　道祖神は、外部から村にやってくる災いを防ぐ神様であったが、民衆に親しまれているうちに、縁結びの神様としての役割も加わり、男女一対の姿をとるようになった。

写白川郷の合掌造りの家　白川郷は合掌造りの大家族用の家がのこっているところとして知られている。雪がすべり落ちるように屋根は急勾配となっており、日本の木造建築としてはめずらしく3〜4階だてである。

●近畿地方 (p.52〜73)

　近畿地方は1000年以上にもわたって日本の中心地として栄え、日本の文化や美術の一大中心地となっている。

・神のいる場所 (p.52〜53)

写二見浦の夫婦岩　伊勢神宮の内宮を流れる五十鈴川が伊勢湾にそそぐあたりが二見浦で、お参りする人は、ここの海水で身を清める風習があった。写真の夫婦岩には、神聖であることをしめす"しめ縄"がはられている。

写伊勢神宮の内宮正殿　伊勢神宮の内宮には皇室の先祖とされる神がまつられ、出雲大社とならんで、もっとも古く、格式の高い神社である。その正殿は、古代建築の素朴さをのこし、自然の素材をいかしたシンプルさが、より神聖さを強く感じさせてくれる。

・深山の寺院 (p.54〜55)

写那智滝と那智山三重塔　熊野は、山での

修業を重んじる修験道の道場として信仰をあつめ、大きな三つの神社がある。その一つの熊野那智大社は、当初は社殿がなく、那智滝そのものが神であった。

写 高野山の奥の院 高野山は9世紀のはじめ中国で仏教を学んだ弘法大師がたてた寺である。それまでの宗教が貴族の政治勢力との結びつきを強めていたのを憂えて、政治とのつながりを絶つために、山の中に寺をたてたのである。約2kmの長い参道にはおよそ20万もの墓がならぶ。

回 京都回 （p.56～65）

京都は、794年に都がおかれていらい、およそ1000年の間、日本の中心地であった。そのため寺や庭園・民家など古いものがのこり、織物・やきものなどの伝統工芸もさかんで祭りや伝統行事も行われている。

・金・銀・石の文化 （p.56～57）

写 竜安寺の石庭 日本でもっとも有名な庭園の一つで、一面に白砂がしかれ、その上に15の石が配置されている。白砂は海の渦、石は島をあらわすという。小さな空間に広大な世界を見い出すのは、禅の基本的な精神である。

写 金閣 足利義満が京都の北山にたてた山荘あとで、名のとおり全面に金箔がはられている。1950年に金閣の美にしっとした若い修行僧によって放火され、5年後に再建された。

写 銀閣 足利義政が京都の東山にたてた山荘。祖父義満がたてた金閣にならって銀箔をはる予定だったという。戦乱の世からのがれて、美の世界にひたるためにつくったもので、日本的な美が純粋化して表現されている。

・桂離宮 （p.58～59）

写 月波楼からのながめ 桂離宮は17世紀前半

にたてられた皇室の別荘である。敷石一つにも繊細な美意識がはたらいており、建築の美しさと庭園の美しさがみごとに調和している。1933年にここを訪れたドイツの建築家ブルーノ・タウトは、感動して、その美しさを世界に知らせた。

写 書院の建物 池のほとりにたつ古書院・中書院・新書院は、桂離宮の中心的な建物である。各建物は少しずつづらし、しかも高さをかえてあるので、微妙な変化をみせた外観になっている。白と黒とのコントラストがつくり出すトーンが、シンプルな美しさを強調している。

・御所と城 （p.60～61）

写 京都御所と紫宸殿（上）と清涼殿黒戸の間（下） 京都御所は、首都が京都におかれた時代の宮殿である。いくどとなく焼失と再建をくり返してきたが、古い建築様式はうけつがれている。日本の天皇は、国家の安寧を天にいのる宗教者としての役割をもっていたので、その宮殿も、シンプルな美を基調としている。

写 二条城の大広門 二条城は徳川家康が京都にたてた館である。大広間は将軍が大名たちと対面する部屋で、一段高くなっているところに将軍がすわった。戦国の動乱を平定した将軍は、力と権威を見せるため、豪華な飾りを必要とした。京都御所の美意識とは対照的である。

・祭りと行事 （p.62～63）

写 事始め 正月の準備を開始することを〝事始め〟といったが、現在は、祇園の舞妓が踊りの師匠に感謝のことばをつたえる行事としてだけのこる。舞妓は遊宴の席で舞をまう女性。服装はかつての上層商家のものである。

写三船祭り　三船とは、漢詩・和歌・音楽にすぐれた者が、それぞれのる三つの船のこと。今では、さまざまな芸能船がくり出される。

写けまり始め　けまりは、足の背でまりをけり上げ、地におとさぬように人にわたしていく貴族のスポーツ。8世紀に中国からつたわり、現在、下鴨神社の行事として行われる。

写葵祭り　1000年も前の貴族の風俗をした人たちが、町をねり歩く上賀茂・下鴨神社の祭り。作物が不作だったとき、天皇がこの神社に使いを送り、いのらせたところ豊作になったので、その行列のようすを祭りにしたものという。

写祇園祭り　祇園祭りは1か月かけて行われるが、華麗な山鉾（屋台）が京都市中をねり歩くのがハイライトである。1100年ほど前に悪病が大流行したとき、これを追い払うために行われたのが始まりという。日本はもとより、世界に知られた伝統的な祭りである。

・この世の極楽（p.64〜65）

写宇治平等院鳳凰堂　1053年にたてられたもので、伝説上の鳳凰という鳥が羽を広げたように見えるところから、鳳凰堂の名がある。この世に目で見える形で極楽世界をつくろうとしたもので、内部には阿弥陀如来像がおかれている。建物も仏像も国宝である。

◎奈良◎（p.66〜69）

奈良は京都・鎌倉とならんで、日本の代表的な古都である。日本の仏教文化が急速に花開いた8世紀に首都がおかれたところで、いまも大きな寺院やすぐれた仏像が、たくさんのこっている。

・大仏と塔（p.66〜67）

写東大寺の大仏　日本でもっとも大きな仏像で、752年に完成式（開眼式）が行われた。こ

の頃は貴族どうしの争いが激しく、これに不安を感じた天皇は、仏教を興隆させることで国の安定をはかろうとして、大仏建造を行った。しかし大仏はその後、戦いにまきこまれて2回焼き打ちにあい、現在のものは18世紀初めに再建されたものである。

写薬師寺の遠景　薬師寺は藤原京に、680年に造営された寺で、710年に都が奈良にうつされたときに、都とともにうつされた。写真では、左から金堂・西塔・東塔が見える。東塔は当初のものだが、西塔は1981年に復元された。創建当初は、どの寺の建物も、このように彩られていた。

・法隆寺―最古の木造建築―（p.68〜69）

写法隆寺遠景（上）と空から見た法隆寺（下）　1300年ほど前、聖徳太子によって、斑鳩の地に建てられた寺。607年に創建され、670年に消失後再建されたとの説もあるが、いずれにしても現存最古の木造建築である。寺域の中には50以上の建物がならび、国宝や重要文化財も多く、仏教美術の宝庫となっている。

写救世観音像　法隆寺境内にある夢殿の本尊で、聖徳太子をうつした像といわれる。長い間秘仏とされ、寺の僧さえ見たことがなかった。1884年、アメリカの美術研究家フェノロサはこの秘仏をひらかせた。そのとき、寺の僧たちはたたりを恐れて、逃げたという。

◎大阪◎（p.70〜71）

大阪は日本で第3、西日本で第1の都市である。むかしから江戸（今の東京）は武家の町、京都は貴族の町とよばれていたのにたいし、大阪は商人の町といわれていた。その伝統は今ものこり、庶民や商人が息づいている。

・城のある庶民の町（p.70〜71）

写十日戎　商売の神様である*えびす様をま

つった神社の祭礼を十日戒という。祭りの日、縁起のよい飾りをつけた〝福笹〟を買いもとめる人でにぎわう。

写**大阪城**　日本の大半を支配下におさめた豊臣秀吉が、全国の大名を動員して1585年に完成させたもの。しかし、この城も秀吉の死後、徳川家康に攻めおとされた。その後再建されたものも焼けおち、1931年に再建された天守閣だけがのこっているが、大阪の人は、今でも〝秀吉の城〟として親しみをいだいている。

写**夜の法善寺横丁**　細い路地に、すき間なく飲食店がならぶ庶民の歓楽街。かつては法善寺という寺の境内であったが、今では宗教的なものは〝水かけ地蔵〟と〝金比羅堂〟という建物だけだが、庶民をはじめ水商売人・芸人などの信仰を集めている。

・**姫路城**（p.72～73）

写**姫路城の天守閣**　17世紀のはじめにつくられ、横にひろがった外観が、白鷺が羽を広げたように見えるので、白鷺城の名で親しまれ、主要な建物は国宝に指定されている。城はとりでとしてつくられているため、内部は素朴で堅固であるが、外観は優雅で、戦う武士たちのものとは見えないほどである。

●**中国地方**（p.74～77）

中国地方は本州の西端にあり、中央の山地を境に、古代からの伝統をもつ日本海側の山陰と、気候が暖かく交通の便利な瀬戸内海側の山陽の二つにわけられる。

・**厳島と錦帯橋**（p.74～75）

写**厳島神社の鳥居**　厳島神社は水の女神をまつっている。神殿は海につき出てたてられており、満潮時には海の中にうかんでいるように見えるが、干潮時には鳥居まで歩くことができる。

写**桜の花と錦帯橋**　5つのアーチからなる橋は、木を組み合わせてつくったもので、くぎは1本も使われていない。形も美しく、実用的な橋を芸術的なものにまで高めている。

・**山陰の小京都**（p.76～77）

写**津和野の城下町**　京都ににた特色をもつ歴史的な町を〝小京都〟とよぶが、ここ津和野は〝山陰の小京都〟といわれている。白壁の古い武家屋敷がやすらぎを感じさせる。

写**津和野の鷺舞**　弥栄神社の祇園祭りで、神に奉納される舞。雌雄の白鷺が、笛と太鼓の哀調をおびた音楽に合わせて、ゆっくりとしたテンポで踊る。この舞はもともと京都で行われていたものが、津和野にとり入れられた。

写**出雲大社**　むかし、この地をおさめていたという大国主命をまつる神社で、伊勢神宮とならんで、もっとも古い格式をもつ神社である。現在は縁結びの神様として、若いカップル、新婚旅行者のお参りがたえない。

●**四国地方**（p.78～79）

四国地方は中国地方の南にうかぶ島である。京都や大阪からそれほど遠くないのに、島であるため、中央から離れた感じが強く、それだけに、人々のふれていない自然がのこる。

・**石段とつり橋**（p.78～79）

写**金刀比羅宮の石段**　金刀比羅宮は、海上交通の神様として古くから信仰をあつめており、18世紀以降、伊勢神宮へのお参り、京都の寺社へのお参りとならんで、庶民の三大お参り

…の対象地とされてきた。長い石段がつづ〔…〕、そこをのぼってくれる"かご"も登場している。

🈂**祖谷のかずら橋** 祖谷地方には、野生のかずらで編んだつり橋がのこっている。このような橋は、現在この一つがのこるだけで、国の重要文化財に指定されている。

●九州地方 (p.80～83)

九州地方は日本の南西端にある地域で、アジア大陸にもっとも近く、古くから文化の受け入れ口の役割を果たしてきた。その伝統は今ものこり、さらに南西部の沖縄では、南島特有の歴史と文化をのこしている。

・石仏の里 (p.80～81)

🈂**臼杵の石仏** 朝鮮半島からつたわった仏教は、九州では土着の信仰と結びつき、山間部に多くの道場や霊場が生まれた。また、九州中央部の砂岩層が加工に適したこともあって、崖に仏像をほった"摩崖仏"がさかんにつくられた。写真の石仏の頭部は、岩壁面から落ちたものであるが、木や金属でできた仏像とかわらない、みごとなできばえである。

🈂**普光寺の摩崖仏** 普光寺境内の川べりの岩壁にほられたもので、高さが8.3mもあり、大分県にある多くの摩崖仏のなかでは最大のものである。

・天皇家のふるさと (p.81～82)

🈂**高千穂の峰** 日本神話によると、天上の国をおさめる天照大神は、地上の国をおさめるために孫のニニギノミコトを天からおろした。その地が高千穂の峰という。神話上、神武天皇はニニギノミコトの曽孫とされているから、高千穂地方は、日本の皇室のふるさとともいえよう。

〈参考〉神話の舞台となった高千穂の峰は、写真の宮崎県西臼杵郡にある山のほか、鹿児島県の霧島山の高千穂峰との説もある。

🈂**高千穂夜神楽** 宮崎県の高千穂地方では、日本神話をテーマとした*神楽がさかんである。11月から2月上旬にかけて、各集落では夜を徹して夜神楽が行われ、その音楽があちこちからきこえてくる。

* Kagura:Ritual dances performed before the *kami* to invoke their presence.Kagura is a contraction of *Kamukura*,meaning "the dwelling place of the *kami*."

・南島の伝統 (p.83)

🈂**守礼の門と沖縄民俗衣装の女性たち** 沖縄県は日本の最南端にある離島県である。守礼門は首里城の八つの門の一つであったが、第二次世界大戦で焼けおち、1958年に再建された。歴史的な建造物がすべて戦火でやかれてしまったため、この門が沖縄を代表するシンボル的な建物になっている。

🈂**イザイホウーの神事** 久高島は古くから神聖な島とされ、ここで結婚した女性は、女性神官（ノロとよぶ）になるための儀式を行わなければならない。それがイザイホウーである。古代社会では、男性が政治的権力をもち、それを補佐する女性が宗教的権威をもつことが多かったが、その伝統が祭りの世界にのこっている。

[第3部] 日本的な生活
Aesthetics in Daily Life

●床の間 (p.85)

・日本間のシンボル——日本の部屋で特徴的なのは床の間である。客間に特別につくら

れた空間で書画・置き物・花びんなどを飾り、客は床の間を背にしてすわる。

・格式のある空間——床の間のルーツは茶室の上段で、メインゲストがすわる場所であった。当初は豪華な雰囲気だった茶会も、千利休などの登場により、小さな草庵で質素に行われるようになった。茶室が小さくなるにつれて上段も小さな飾り場所となった。

* *Soan*: A small building with a thatched roof,most often used for tea ceremony rooms.

・書画を飾る空間——壁を50〜60センチ位へこませて、あつい板をはめ込み、そこに書画をつるした「押板」とよばれる空間は以前からあった。正確にいえば、床の間は格式の空間を示す「上段」と、鑑賞空間を示す「押板」との二つの系統がミックスされたものである。床の間は、聖なる空間、ゆとりの芸術的・精神的な空間の象徴として、日本人の生活の中に生きつづけていくであろう。

●障子とふすま （p.86）

・フレキシブルな日本間——日本の住宅の内部は、障子とふすまによって仕切られている。障子やふすまは、これをとりはずすと、隣の部屋とつながってしまうという特徴があり、多くの人が集まる時は便利である。また、寝室・食堂などと部屋の役割を固定する必要もなく、きわめて合理的なはたらきをする。

・障子——格子状の木の枠に紙をはった戸の一種で、紙は保温性があり、また換気も行う。

・ふすま——格子状の木の枠に厚紙や布をはったもので、部屋と部屋を仕切る。ふすまには、風景画、花鳥画などがえがかれ、部屋の雰囲気や印象を決定づけるのは、このふすま絵である。

●庭と縁側 （p.87）

・見るための庭——日本人は庭が好きで、さな場所にでも木や草花を植えて庭にする。欧米のスポーツができるような広大な庭に対して、日本の庭は縁側にすわって静かにながめ、心を落ち着かせる場である。

・庭の中の別世界——日本人は、庭に池や川がない場合でも、岩や植木で海のイメージをつくる。遠く海のむこうにあるといわれる極楽や宇宙空間を小さな庭に想像してしまう国民なのである。

・つなぎの空間としての縁側——日本風の家では、庭に面した所に細長い板が張りめぐらされていて、これが縁側である。縁側には、ガラス障子の外にあるものと内にあるものとがある。縁側は、内部空間でも外部空間でもなく、部屋と庭の「つなぎ」の空間である。このようなあいまいな空間も、日本人のフレキシブルな精神の現れである。

●木と竹と紙の文化 （p.88）

・木の文化——木は神が天から降りてくるときの依代（依りどころ、目印）と考えられ、また、素木は清浄で霊性のあるものとして尊ばれた。柱や障子の枠などは素木を生かしたもので、「まな板」「杉板」「はし」など、料理や食事などにも用いられる。

* *Yorishiro*: An object in which a *kami* manifests itself upon being summoned. Examples are trees, rocks, *gohei*(wands with paper streamers used in Shinto ritual for purification) and animals, which are in turn worshiped as the deity.

・竹の文化——竹の目覚しい生命力や繁殖力、不思議な空洞は人々をひきつける。まっすぐ伸びた形は、素直な心、決断力など心身を象徴するものとして、心に訴えるものがあ

る。竹は、垣根・飾り柱・かご・ざる・はしなどに使われ、茶室や茶道具にも多い。

・和紙の文化——住宅の中でもっとも和紙が生かされているのは障子で、和紙を通した光はやわらかな落着きがあり、湿度や温度を自然に調整する。白い和紙は*清浄なるもののシンボルとされ、神事には御幣・玉ぐし・注連縄などに白い紙が吊り下げられる。書画・紙人形・提灯などにも使われる。

* Purity: Shinto places great value on purity. Purification rituals (*oharai*) performed at shrines to remove impurity and avert calamities, and the salt-throwing ritual of sumo and funerals, stem from this concern.

●食事の器 (p.89)

・器への心配り——日本人は食事を一つの文化として味わう傾向がある。器を味わい、料理の盛りつけ、それと味との調和を重んじる。器は用途別・季節別に豊富で、料理の形、大きさ・色に見合ったものでなければならず、西洋料理のように同種の皿がいろいろな料理に使われることはない。

・器の空白部——日本料理では、器いっぱいに盛りつけることはない。お茶でさえ七分につぐ。あとの三分は余白、余韻である。余白に対する日本人の感覚は能や俳句の象徴性、日本画の「間」を重んじる感覚と同じである。

・さまざまな食器——食器は料理に合わせて、かえていく。御飯をもる飯碗（茶碗）、副食物をいれる皿、皿より深みのある鉢、汁物をいれる椀、お茶を飲むときの茶碗、酒をいれる徳利（おちょうし）、酒を飲むときの杯（ちょこ、ちょき）などがある。

●日本の着物 (p.90)

・色彩の美——着物の美しさは、色彩と文様の美しさであろう。文様は草花や鳥などをデザイン化したものが多い。色彩は、若い女性用には華やかなものが多いが、日常着は中間色を用い、中間色文化を生み出した。

・形の美——着物姿を美しく見せるポイントは帯であろう。帯の結び目を後ろにおくことで、後ろ姿の美しさをも強調している。帯の幅はもとは7〜8センチの細いもので、結び目の向き、結び方も自由だったが、しだいに幅も広くなり、後ろで大きく結ぶ形が定着した。髪かざり、はきものなども着物の美しさをつくり出している。

●日本の文様 (p.91)

・自然の文様——着物、食器、化粧道具、手箱や小物類には、さまざまな文様がほどこされている。多くは自然をテーマにしたもので、桜などの植物文様、カメなど動物文様、波などの水の文様、日・星などの天象の文様、扇子・矢羽根などの器物の文様などがある。

・家紋——家族や一族の印となる文様を家紋という。正式の儀式のとき、家紋のついた和服（紋付き）を着るのが普通であった。貴族が牛車を識別するためにつけたこと、武士が戦いの旗印としたことが起源。古い家では家紋を誇りとしている。

●日本の家と旅館 (p.92)

・和風旅館で知る日本の伝統的な生活——日本風の家を味わう方法は日本風の旅館に泊ることである。観光地の旅館の多くは、部屋には畳がしかれ、部屋の中央には日本式テーブルと座ぶとんが置かれている。床の間には書や絵、花が飾られている。

・旅館でのくつろぎは旅の重要な要素——欧米のホテルは休憩所・寝所という意味あいが濃いが、日本の旅館は旅の重要な要素に組み

入れられる。庭のながめ、おいしい食事、風呂や温泉につかるなどが旅の目的でもある。日本風旅館は日本や日本人について学ぶことのできる学校でもある。

〈参考〉日本人は温泉を好むが、その理由は健康への効能のほか、温泉があたえるくつろぎ（情趣）であろう。温泉旅館には、各部屋に浴室がついているが、ほかに男女別の大浴場と、屋外の自然の中に露天風呂がある。大浴場や露天風呂は、各地からの旅人とはだかのつき合いができる場であり、身体を洗い流すためだけの洋式ホテルの風呂と大きく異なる。

● 和風旅館の接待 (p.93)

・何気ない心遣い——和風旅館では客が到着すると、旅館の主人や従業員にていねいに迎えられ、帰るときも同様である。部屋はナンバーではなく、「松の間」「萩の間」など、自然に関係のある名がつけられている。部屋

では、お茶や軽い菓子、おしぼりが出される。おしぼりは、これで客が手を清め、自分が暖かく受け入れられたとの心のメッセージをも感じとる。

・脱日常性の世界——和風旅館のもっともよいところは日常性から脱して、くつろげることである。浴衣に着がえ、そのままで旅館内も外をも散策できる。旅人のだれもが、開放された、自由な気分にひたることができるのである。

・個人的なサービス——和風旅館では、いっさいの世話をしてくれる部屋係がつく。団体客でないかぎり、料理は係が部屋に運ぶ。ふとんのあげおろしも専門の係がやる。浴衣・タオルなど、宿泊に必要なものは用意されている。チップ制度もない。部屋係に心付けを渡す場合もあるが、一回だけで、サービスのたびに渡すことはない。部屋係とは上下関係でなく、信頼関係で結ばれている。

12